L'ÉPHÉMÈRE

**STÉPHANIE
DESLAURIERS**

L'ÉPHÉMÈRE

Une société de Québecor Média

Catalogage avant publication de Bibliothèque et Archives nationales du Québec et Bibliothèque et Archives Canada

Deslauriers, Stéphanie, 1987-
    L'éphémère
    ISBN 978-2-7604-1150-0
    I. Titre.
PS8607.E763E63 2014   C843'.6   C2014-941818-3
PS9607.E763E63 2014

Édition : Marie-Eve Gélinas
Révision linguistique : Sylvie Dupont
Correction d'épreuves : Sabine Cerboni
Couverture : Chantal Boyer
Grille graphique intérieure : Axel Pérez de León
Mise en pages : Annie Courtemanche
Photo de l'auteure : Sarah Scott

Cet ouvrage est une œuvre de fiction ; toute ressemblance avec des personnes ou des faits réels n'est que pure coïncidence.

Remerciements
Nous reconnaissons l'aide financière du gouvernement du Canada par l'entremise du Fonds du livre du Canada pour nos activités d'édition.
Nous remercions le Conseil des Arts du Canada et la Société de développement des entreprises culturelles du Québec (SODEC) du soutien accordé à notre programme de publication. Gouvernement du Québec – Programme de crédit d'impôt pour l'édition de livres – gestion SODEC.

Les Éditions internationales Alain Stanké
Groupe Librex inc.
Une société de Québecor Média
La Tourelle
1055, boul. René-Lévesque Est
Bureau 300
Montréal (Québec) H2L 4S5
Tél. : 514 849-5259
Téléc. : 514 849-1388
www.edstanke.com

Dépôt légal – Bibliothèque et Archives nationales du Québec et Bibliothèque et Archives Canada, 2014

ISBN : 978-2-7604-1150-0

Distribution au Canada
Messageries ADP Inc.
2315, rue de la Province
Longueuil (Québec) J4G 1G4
Tél. : 450 640-1234
Sans frais : 1 800 771-3022
www.messageries-adp.com

Diffusion hors Canada
Interforum
Immeuble Paryseine
3, allée de la Seine
F-94854 Ivry-sur-Seine Cedex
Tél. : 33 (0) 1 49 59 10 10
www.interforum.fr

27 juin 1998

Robert est seul au bistro. Il a pris place à la petite table baignée par le soleil, tout près de la fenêtre. Ce matin, il est parti au travail comme chaque mardi de sa vie ces vingt dernières années. Puis, il a fait demi-tour.
Aujourd'hui, il en a assez. En fait, il en a assez depuis longtemps déjà.

Aujourd'hui, il craque de partout, à croire qu'il est une statue de plâtre grugée par le temps. C'est un peu ce qu'il est : stoïque aux yeux des autres, figé, sans émotions. Et pourtant.

Elles le rongent par en dedans, les émotions. Elles grouillent de partout, l'envahissent jusqu'au bout des ongles, le parasitent ; elles lui prennent tout sans rien offrir d'autre en retour que ce goût âcre. L'amertume qui le gruge, pareille à la corrosion. Il est corrosif. Toxique. Il le sait.

Il s'est promené une dernière fois dans les rues de sa banlieue cossue, avant d'atterrir au café. Il a contemplé les maisons de ses voisins, des habitants de son quartier, de ses amis. Non. Pas de ses amis. Il n'a jamais su en avoir.

En regardant l'heure sur son tableau de bord, il s'est dit que les enfants ne devaient pas encore être partis pour l'école. Ils devaient à peine venir de se lever, tout comme Diane. Voilà pourquoi il s'est dirigé vers le petit bistro snobinard dans lequel il n'avait jamais mis les pieds : pour tuer le temps, avant de se faire subir le même sort.

Il commande un café, juste comme ça, pour voir. Pour comprendre ce que sa femme trouve à ce liquide brunâtre. Il le savait : Diane et lui n'ont rien en commun. Pas même le goût du café.

Il feuillette le journal en commençant par le début, infidèle à son habitude, lui d'ordinaire si rangé, si organisé, si prévisible. Commencer sa lecture quotidienne par la fin aura probablement été la seule lubie de sa vie. Et ce n'est pas comme si les gens trouvaient cette habitude vraiment étrange. Il n'y a rien d'extraordinaire à commencer par la fin.

Sa maison est à son image. À croire que personne n'y vit. Peut-être que sa famille ne remarquera pas immédiatement son absence. Sa seule façon d'exister a été de crier. Crier pour qu'on le voie, pour qu'on l'entende. Rien ne rappellera plus sa présence.

Il a toujours étouffé, Robert. Il n'a jamais su gérer l'intimité. La distance est quasi impossible dans une maison, aussi grande soit-elle. Même avec trois étages, deux garages et quatre chambres à coucher. La proximité émotive ne se dissout pas dans l'espace.

Des traces de son enfance, sans doute. Sa mère ne l'a jamais pris dans ses bras, lui semble-t-il. Et de son père, il ne garde presque pas de souvenirs, qu'une vieille photo ternie pour confirmer sa courte existence. Mort à quarante ans. Accident de voiture, à ce que l'on raconte. Robert n'avait que sept ans.

Eva serait contente de savoir qu'il s'analyse de la sorte. Une future psychologue. Une grande sensible qui le ramène invariablement à ses propres blessures. Voilà pourquoi ils n'arrivent pas à s'entendre. Voilà pourquoi ils n'arriveront jamais à s'entendre. Aussi bien lui laisser imaginer la suite : une relation lisse, sans heurts.

Folle. Il l'a traitée de folle.

« Crisse, t'es folle ou quoi ? »

Elle ne l'a pas inventé.

C'est sorti de la bouche d'Alexis.

Ça a sonné si faux. Mais jamais elle n'a eu aussi peur que ce soit vrai.

Il le sait, pourtant. Il devrait savoir…

Eva secoue la tête, espérant que les mots se heurtent aux parois de son crâne, tombent K.-O. et la laissent tranquille.

Contrariée, elle essaie tant bien que mal de se concentrer sur sa tâche, jetant tous les vêtements qui lui tombent sous la main dans sa valise. Soudain, elle se dirige vers sa table de chevet et en retire frénétiquement ses pyjamas. Elle la trouve : sa petite boîte métallique datant du secondaire. Il lui semblait bien l'avoir enfouie à cet endroit la dernière fois qu'ils s'étaient retrouvés, toute la bande d'amis d'enfance. Un faible sourire s'affiche sur ses lèvres à l'évocation de ce souvenir, pour disparaître illico. Elle lance sa découverte dans son bagage et le referme avec empressement. Dans son mouvement, elle coince son ongle dans la fermeture éclair. Elle laisse échapper un cri de surprise, puis porte son doigt à sa bouche. La douleur physique détourne son esprit de ses préoccupations. C'est mieux ainsi. Eva n'a jamais su tolérer l'angoisse.

Surtout pas l'angoisse de la folie. La pire d'entre toutes. Celle qui rend fou.

Elle refuse de la transmettre à un enfant qui n'est pas encore tout à fait sien, bien qu'il prenne de l'ampleur dans son ventre.

Se ressaisissant, elle sort et claque la porte de l'appartement sans un regard derrière.

Le temps lumineux l'agresse. Le bruit des roulettes de son bagage sur le trottoir l'assaille chaque fois qu'elles passent sur une fente cimentée. À une intersection, elle tombe nez à nez avec un piéton qui lui écrase un orteil. Elle retire vivement son pied. Pestant intérieurement, elle continue sa route vers nulle part. Après encore trois coins de rue, elle s'arrête face au parc. Elle le contemple avant d'y pénétrer, méfiante.

Une jeune mère se prélasse avec sa petite de quelques mois à peine, pendant que celui qui semble être le père les prend en photo. Eva lève les yeux au ciel. Une autre famille se promène à vélo, la laisse de leur jack russel attachée à la poignée de la bicyclette de l'aîné. Le cadet marche entre ses parents en léchant avec gourmandise son cornet de crème glacée.

Est-ce que toutes les familles épanouies de Montréal se sont donné rendez-vous ici ? En soupirant, Eva marche vers le cabanon du terrain de baseball. Elle cherche dans sa valise sa petite boîte métallique. Depuis l'âge adulte, il lui semble qu'elle n'en a fait usage que pour des raisons récréatives. Or, aujourd'hui, c'est différent. Elle a besoin d'engourdir quelque chose.

Soulagée, elle met enfin la main sur ce qu'elle cherchait. Elle glisse sa trouvaille dans sa poche, grimpe au grillage vert, puis s'assoit sur le toit de la cabane. Elle s'empare de son boîtier, l'ouvre avec ferveur.

Merde. Elle a oublié le papier à rouler.

13 mai 2002

La noirceur est désormais bien installée et les lumières de l'autobus permettent à Eva de voir son visage réfléchi dans la vitre. Elle se scrute attentivement, tentant de se voir comme si elle ne se connaissait pas. Comme si ce visage lui était présenté pour la première fois. Elle aime se faire croire qu'il y a une vie dans les reflets des vitres. Une vie parallèle, peut-être. Une jeune femme qui lui ressemble en tous points, physiquement du moins, mais qui a une histoire à l'opposé de la sienne. Cette pensée la fascine et l'effraie à la fois.

Elle a toujours détesté les miroirs. Chaque fois qu'elle se coiffe, elle tente de se concentrer de toutes ses forces sur sa chevelure, sur le mouvement répétitif de sa brosse, afin que son regard ne dévie pas sur le reflet de la pièce. Elle évite ainsi la vision de tous ses fantômes, de tous ses départs, de tout ce qu'elle aurait pu être.

Eva avait montré de la résistance, quelques années plus tôt, lorsque son père mettait en place le miroir de la commode qu'il venait de se procurer pour elle. Le miroir qui avait trôné de longues années dans la chambre de la mère de Robert. Il avait toisé sa fille en silence. Elle lui avait alors parlé de sa crainte des défunts.

— Ben voyons donc ! Tu penses pas que tes grands-parents ont d'autres personnes plus importantes que toi à hanter ?

Eva n'avait pas su quoi répondre. Son père avait soupiré puis avait repris sa tâche, miroir en mains.

— Viens m'aider au lieu de dire n'importe quoi.

Elle s'était exécutée en fuyant le regard de Robert.

— Bon, tu vas me faire la baboune, là ? Franche-ment ! Des fantômes ! Des fantômes de gens qui t'ont à peine connue. T'es folle ou quoi ?

Eva secoue la tête pour chasser le souvenir. Elle se regarde dans le reflet de la vitre. Elle se demande fréquemment ce que les autres perçoivent d'elle. Ce qu'ils voient en premier, s'ils ont la capacité de lire en elle, de voir son passé derrière les portes closes de sa maison de banlieue. S'ils peuvent entendre ce qu'elle tait, ce qu'elle ose à peine penser. Il lui arrive de se dire qu'ils n'aimeraient pas ce qu'ils découvriraient, qu'ils en seraient effrayés. Comme elle-même peut l'être.

Un passager tire la corde jaune. Le son de la cloche électronique extrait Eva de ses réflexions. Elle constate qu'elle doit elle aussi descendre. Plutôt que de rentrer chez elle, elle prend le chemin de chez Alexis. Elle tape à la fenêtre de sa chambre, au sous-sol. Son ami lui ouvre.

— Tu entres ou je sors ?

Eva pointe du doigt la guitare sur son dos. Alexis enfile ses chaussures, monte sur son bureau et enjambe la fenêtre. Ils se dirigent vers le parc, où ils s'installent sur le cabanon de rangement adossé au grillage du terrain de baseball. Ils cessent furtivement d'exister, traînant entre ciel et terre, entre le soir rose et la nuit noire.

Eva arrive au pied de l'escalier, soupirant de lassitude. Elle apprécie la quiétude que lui procurent les moments avec Arnaud. Mais la présence d'Ariane l'indispose sans qu'elle sache trop pourquoi. Pourtant, cette dernière a toujours été respectueuse envers elle. À moins que ce soit ça : la distance du respect. Généralement, c'est Eva qui l'impose aux autres, la distance. Pas l'inverse.

Soudain, elle se rappelle. L'école primaire. Eva lui avait un jour demandé si elle pouvait aller jouer chez elle. Ariane avait refusé.

— Pourquoi ?

— Parce que ma mère dit que t'es mal élevée…
avait fini par lui avouer Ariane.

Elle lui avait souri tristement avant de retourner
jouer à la marelle avec ses amies. Eva était restée
clouée sur place, muette. Elle avait eu envie de lui
crier : « C'est pas ma faute, c'est celle de mes parents ! »
Déjà à cet âge, elle refusait d'implorer quiconque. Elle
se contentait de crier intérieurement.

Eva lève les yeux vers l'obstacle ultime à sur-
monter, pour avoir droit, elle le souhaite, à quelques
jours de répit. Elle empoigne la ganse de son bagage
et entame son ascension. La mince rampe métallique
vibre chaque fois que le dos de sa valise se heurte aux
marches. Lorsqu'elle atteint le palier, elle appuie sur
la sonnette avec appréhension. Elle devine l'ombre
de la copine de son ami derrière la vitre givrée de la
porte.

Le loquet résonne, les charnières grincent. La frêle
Ariane se tient dans l'embrasure, un sourire accueillant
fixé aux lèvres. Elle l'invite à entrer et sort de l'étroi-
tesse du vestibule afin d'ouvrir plus grand. Eva lui
renvoie son sourire, rongée par le malaise.

Après avoir refermé la porte, Ariane fait signe à
Eva de la suivre. Elle s'apprête à lui demander « Comment ça va ? », puis se résigne. Les politesses d'usage
ne s'appliquent pas à la situation. Et elle n'a jamais su
comment agir avec l'amie d'Arnaud autrement qu'en
étant polie. Elle se contente de se taire et de laisser
planer leur embarras.

Eva est soulagée qu'Ariane garde ce silence
bien préférable aux discussions prévisibles qu'elles

ont généralement. Leur progression muette vers la chambre lui permet de constater à quel point les couleurs appliquées sur les murs sont vives. Quel contraste avec la délicatesse, la fragilité, presque, d'Ariane ! Un choix d'Arnaud, peut-être ? *Et une touche d'Ariane*, se dit-elle ironiquement en jetant un coup d'œil à la série de photos encadrées qu'on voit ici et là au mur et sur les meubles du salon.

Une fois dans la chambre qu'elle occupera, Eva refuse l'offre de son hôtesse de l'aider à s'installer. Elle attend que cette dernière ait franchi le pas du salon pour fermer la porte. Elle soupire à nouveau en balayant la pièce du regard.

Du jaune partout. Elle se demande bien comment quelqu'un peut arriver à dormir tout en ayant l'impression de vivre en plein cœur du Soleil. Elle ferme les yeux et tente de ressentir la chaleur de cet astre, en vain. Elle reste de glace. Sa grande noirceur semble se propager, envahir la pièce en entier. Elle est l'encre qui se répand sur une feuille immaculée.

Énervée, Eva détaille les photos sur la commode. *Encore !* Ariane y figure, tout sourire, aux côtés d'Arnaud qui l'enlace par la taille. Sur un autre cliché, ils trinquent en fixant l'objectif. Sur un autre encore, ils posent devant le rocher Percé, bottes de pluie et manteau de printemps assortis. Eva leur tire la langue, saisit brusquement la photo et la dissimule dans le tiroir du haut.

Elle ouvre la porte de la garde-robe. Quelques cintres y pendent mollement, nus comme des vers. Elle dirige son regard au sol pour y trouver, sans surprise, une poussette recroquevillée sur elle-même, qui voisine avec un grand sac de plastique. Eva y jette un coup d'œil : toutous, couvertures en peluche, pyjamas bleus, verts, orangés, jaunes y sont empilés. Pourquoi tout le monde semble-t-il vouloir des enfants sauf elle ? Si elle était comme tout le monde, elle n'aurait pas déçu Alexis tout à l'heure. En ce moment même, ils seraient ensemble, sans doute à jouer de la guitare, installés confortablement sur leur balcon.

Elle grimace et allonge le bras pour atteindre la poignée de la garde-robe. Surprenant son reflet dans le miroir de la porte, elle laisse son mouvement en suspens. Elle n'a pas pris la peine de se maquiller ce matin. Pas après sa chicane monumentale avec Alexis. Pour cacher la hargne qui transparaît sur sa peau ? Pour camoufler le trouble qui s'est immiscé dans son regard ? Elle sait que cette tactique serait vaine ; ses traits ont toujours parlé pour elle, peu importe la quantité de fond de teint qui les farde.

Elle scrute son visage, ses yeux bruns, trop grands, trop cernés, trop loquaces. Elle fixe son nez trop long, trop droit, trop franc. Sa bouche trop pleine, trop gourmande. Ses lèvres, dont les commissures tendent vers le bas. Comme si elles la destinaient à la déception.

Son visage reflète son état intérieur : fragmenté.

Son regard s'arrête sur les perles à ses oreilles.

Maman. Comme je m'ennuie de toi. Comme je m'ennuie du temps où je t'appelais « maman ». Il me semble que ça remonte à une éternité, en fait. À moins que je t'aie appelée ainsi sans trop y croire. Parce que, avouons-le, j'ai davantage été ta mère que tu as été la mienne.

Pourtant, je n'ai jamais demandé à être mère. Et main-tenant c'est la deuxième fois. Sans que j'aie vraiment pu avoir de pause.

C'est pour ça que je t'ai mise de côté, maman. Je suis épuisée d'être ta mère. Je ne les veux plus, mes droits parentaux. Où puis-je signer le document de déchéance parentale ? Est-ce que ça changerait quelque chose ? Parce que voilà déjà quelques mois que je t'évite, que je ne réponds plus à tes appels, que je les retourne encore moins. Mais tu es là. Tu es toujours là, maman. Dans ma tête, dans mes souvenirs. Et, maintenant, dans mes craintes pour l'avenir. Dans mes tripes.

Ses yeux s'emplissent de larmes sans qu'elle y puisse rien. Elle s'empresse de retirer les boucles et de les ranger dans le tiroir de la commode, à côté du cliché de ses amis.

Sa mélancolie prend toujours le dessus, estompant sa colère. Elle n'y échappe jamais. La colère l'arrange : elle peut la diriger contre qui elle veut. La mélancolie s'insinue en elle et y reste tapie, refusant de heurter qui que ce soit d'autre.

17 septembre 1994

« *Good morning, sunshine ! Miaw !* »
Eva grogne…
« *Good morning, sunshine ! Miaw !* »

… puis soupire.

« *Good morning, sunshine ! Miaw !* »

Agacée, elle appuie sur le nœud papillon rose du chat en plastique qui se fait un malin plaisir de la réveiller chaque matin depuis bientôt un an. Quand elle avait demandé un réveille-matin à ses parents, elle visualisait plutôt un cadran blanc avec l'affichage en vert. En rouge aussi, ça aurait été bien. Elle s'imaginait se réveiller au son de la musique ou de la voix de l'animateur de l'émission du matin. Mais non. Il avait fallu qu'ils lui achètent un chat noir et blanc avec les yeux vert pomme qui lui chante : « *Good morning, sunshine ! Miaw !* » C'est tellement enfantin. Elle a huit ans, après tout !

Eva quitte à regret ses couvertures imprégnées de la chaleur de son corps engourdi. Elle reconnaît immédiatement l'odeur de cigarette mêlée à celle du café. À l'intensité de l'arôme, elle sait que sa mère se trouve déjà dans la salle de bain. Elle s'y dirige avec empressement, heureuse de la retrouver, puis s'installe sur le siège de la toilette.

— Salut, ma pitoune ! lance Diane sans détourner son regard du miroir.

— Allô, répond Eva d'un ton endormi.

— T'as fait des beaux rêves ?

— Oui, oui.

Sa mère poursuit son mouvement frénétique de haut en bas avec la brosse à mascara.

— Merde !

Elle se sert d'un mouchoir afin d'essuyer la bavure sur sa paupière et profite de cet interlude pour avaler une gorgée de café ; quelques gouttes trouvent leur chemin jusqu'au comptoir.

— Voyons, à matin ! marmonne Diane.

Elle dépose sa tasse pour aspirer une bouffée de cigarette. Le long cylindre de cendre termine sa course dans les gouttes de café, ce qui la fait soupirer d'impatience. Elle reprend sa manœuvre saccadée, puis s'éloigne du miroir, prête à relever la moindre imperfection qu'elle s'empresserait aussitôt de corriger. Satisfaite du résultat, elle referme le tube de mascara et le range dans sa trousse de maquillage.

— Pourquoi tu te maquilles, maman ?

— Pour être belle ! répond Diane.

— Tu es déjà belle !

Devant le visage ensommeillé mais radieux de sa fille, Diane s'esclaffe.

— Non, ma chérie. Ta mère est vieille ! Toi, tu es belle.

Avec un sourire en guise de réponse, Eva quitte la salle de bain afin de se préparer. Elle enfile les vêtements pliés déposés sur sa commode la veille. Elle se scrute dans le miroir, se trémoussant de gauche à droite. Son visage s'illumine. *J'espère qu'Alexis va me trouver belle !*

Robert fait irruption dans la chambre de sa fille. Eva sursaute.

— Arrête donc de te regarder ! Ça fera pas rétrécir ton grand nez, lui lance-t-il sèchement. Allez, dépêche, Alexis va arriver bientôt, pis tu seras pas prête.

Il sort de la pièce pour se rendre à la salle de bain. Elle l'entend maugréer, probablement contre l'odeur de la cigarette de sa femme.

Ravalant ses larmes, elle porte à sa bouche ses ongles, qu'elle ronge sans même s'en rendre compte. Ses yeux humides tombent sur les perles déposées sur le meuble. Elle les accroche avec empressement à ses oreilles puis recule pour admirer l'effet. Déçue, la gorge serrée, elle détache son regard de son reflet et se rend au rez-de-chaussée en traînant les pieds.

Son père voyait en elle ce qu'elle-même n'a jamais su voir. À croire qu'ils ne connaissaient pas la même personne. Eva a toujours eu du mal à savoir qui disait vrai. Elle se rappelle encore cette soirée pourtant si lointaine.

— Eva, je sais ce que tu devrais faire, plus tard !

Elle avait relevé les yeux de sa cuisse de poulet rôti, souhaitant qu'il nomme l'un des métiers qu'elle aimerait réellement faire : vétérinaire, avocate ou psychologue, pourquoi pas ? Emplie d'espoir, elle attendait le verdict de son père.

— Thanatologue.

Eva avait laissé tomber sa fourchette dans son assiette. Elle ? Travailler avec les morts ?

Sa mère avait soupiré à cette évocation, passant une main rassurante dans les cheveux d'Eva, rappelant à son mari que la vivacité de leur fille aurait tôt fait de ramener les morts à la vie.

Son père aurait préféré l'inverse. Que les morts déteignent sur elle, qu'ils étouffent sa vitalité afin qu'elle devienne davantage comme eux : silencieuse, tranquille.

Il le lui a répété combien de fois, qu'elle était « trop » ? Trop agitée, trop pressée, trop gâtée, trop émotive, trop intense, trop curieuse, trop dans la lune, trop étourdissante, trop bavarde, trop, trop, trop. Elle existait trop à son goût.

Prévisible, il avait changé de sujet.

— Qui veut manger la peau de ma poitrine de poulet ?

Son aîné, Maxime, avait secoué la tête pour toute réponse. Gourmande, Diane avait pris le morceau graisseux entre ses doigts. Eva, elle, s'était contentée de continuer à manger sans relever les yeux.

Moi. Moi, je la veux, ta peau.

Eva sort de son souvenir au son des trois petits coups qui retentissent à la porte de « sa » chambre, porte qui s'ouvre avant qu'elle n'ait pu inviter le visiteur à entrer. *Vive l'intimité !*

Elle se retourne. Arnaud. Il s'approche d'elle et la prend doucement dans ses bras.

— Ça va aller, Eva.

Tendue, elle ne sait pas où déposer ses mains sur son ami. Elle n'a jamais apprécié cette proximité. Surtout pas avec un homme. La règle sociale selon laquelle il faut faire la bise non plus, d'ailleurs. Une salutation n'est-elle pas suffisante ? Elle envie parfois les garçons de n'avoir qu'à se serrer la main lorsqu'ils se retrouvent.

Les accolades la rendent mal à l'aise. Elle ne comprend pas pourquoi Arnaud a cru qu'en ce moment précis, c'est ce dont elle avait besoin. Elle n'en a jamais besoin. Ou si peu.

Tentant de se détendre dans les bras de son vieil ami, Eva se revoit, à peine âgée de six ans, se lover contre son père qui la repoussait.

— Dégage, tu m'énerves !

Sentant la rigidité de son amie, Arnaud relâche son étreinte et fait un pas en arrière.

Il pince les lèvres pour former ce qui semble être un demi-sourire. Eva le regarde de travers, ne comprenant pas son attitude trop chaleureuse. Elle a eu une chicane avec Alexis. Point. D'accord, leurs échanges n'ont jamais été aussi vifs. Et elle n'a jamais quitté leur appartement pour se réfugier ailleurs non plus.

Je ne suis pas à l'agonie, quand même ! Pourquoi agit-il comme si j'allais craqueler, m'effriter, me décomposer et être soufflée par le vent ?

Arnaud s'installe sur le lit, prêt à y demeurer longuement. Eva le fixe avec insistance, comme si cela pouvait le convaincre de bouger.

Constatant que sa tactique est vaine, elle hausse les épaules et commence à défaire sa valise, ignorant Arnaud. Elle dépose distraitement ses vêtements dans les tiroirs de la commode. En ouvrant celui du haut, elle aperçoit la photo de ses hôtes. Elle le referme avec empressement, en lançant un regard oblique à Arnaud afin de s'assurer qu'il n'a rien vu.

Une fois sa valise vide, elle se dirige vers la garderobe. En entrebâillant la porte, elle distingue la poussette et le sac de toutous. Irritée, elle se résigne, posant plutôt son bagage contre le mur de la chambre, puis referme le placard. Elle se retourne vers son ami, l'encourageant à la laisser seule.

Arnaud se contente de sourire. Avec un regard tendre, il l'incite à se confier. Sans grande surprise, Eva décline son offre. Elle a toujours détesté parler de ses émotions : le fait de les nommer les rend vraies, palpables. Surtout, elle refuse de raviver des sentiments qu'elle ne sait trop comment gérer. Elle préfère les enfouir, évitant ainsi qu'ils se matérialisent et deviennent réels.

Voyant qu'il ne bouge pas d'un cheveu, elle tente de le rassurer maladroitement.

— Promis, tu me retrouveras pas pendue au bout d'une ceinture. De toute façon, il y a aucune chance qu'une tringle de garde-robe soit assez haute pour contenir toute ma grandeur ! lance Eva, ironique.

— Oh ! On fait dans l'humour noir, la taquine son ami.

— Y a pas juste mon humour qui est noir, grommelle Eva.

Arnaud sent bien que son humeur ne s'améliorera pas. Quelque chose dans son regard. Un éclat qui a déserté.

Il sort, inquiet. Alexis et elle ne se sont jamais séparés, même momentanément. D'ailleurs, il ne sait pas ce qui s'est produit plus tôt aujourd'hui. Malgré toutes leurs années d'amitié, elle conserve toujours ce mystère. Cette distance, aussi…

Le reste de la journée s'envole à l'insu d'Eva, enfermée dans sa chambre. Contrairement à son habitude, elle ne regarde pas l'heure une seule fois. Généralement, ce tic l'aide à s'ancrer dans le moment présent, à s'accrocher aux chiffres, à leurs courbes et à leurs lignes droites. À s'assurer qu'elle existe.

Aujourd'hui, elle n'a pas envie d'exister. Elle n'a aucunement besoin de se faire rappeler que le temps continue de s'écouler, malgré son impression qu'il stagne, qu'il va à contre-courant, même.

Le fait de regarder sans cesse l'heure sur son cellulaire lui aurait surtout rappelé cruellement chaque fois qu'Alexis n'avait pas tenté de la joindre.

Cet après-midi, Eva préfère fuir dans le sommeil. Comme quoi elle a davantage en commun avec sa mère qu'elle l'aurait cru. Davantage qu'elle le voudrait, surtout.

Elle est la première à s'étourdir ; dans le travail, dans le sport, dans les tâches. D'aussi loin qu'elle se souvienne, sa relation au temps est paradoxale : autant elle craint d'en manquer, autant elle aime le laisser filer, courir, débouler.

Pas aujourd'hui. L'angoisse la paralyse.

En se réveillant de sa longue sieste, encore engourdie par le sommeil, Eva tend le bras vers son cellulaire. Un appel de son frère, qui n'a pas laissé de message. *Ce n'était sans doute pas important.* Elle repose son téléphone sur la table de chevet, se retourne et se rendort.

Fébrile, Diane s'affaire dans la cuisine. Elle retire le couvercle du chaudron, hume la soupe odorante qui y mijote. Les effluves lui mettent l'eau à la bouche. Elle plonge la cuillère de bois dans sa préparation afin d'y goûter. *Un peu plus de sel.* Elle referme le chaudron, regarde l'heure, s'essuie les mains sur son tablier et dispose des ustensiles sur la table. Ce midi, elle ne met que deux couverts. *Dommage qu'Eva ne soit pas là…*

La sonnette qui retentit sort Diane de sa nostalgie. Elle dénoue son tablier et affiche son plus beau sourire pour accueillir son fils. Avant même d'atteindre la première marche, elle perd l'équilibre et s'affale sur le plancher de céramique, inconsciente.

Lorsqu'il arrive devant l'appartement de sa mère, Maxime cogne doucement. N'entendant aucun bruit à l'intérieur, après quelques secondes, il cogne de nouveau. Il appuie l'oreille contre la porte. Rien. Perplexe, il tente de l'ouvrir, en vain. Généralement, après lui avoir déverrouillé en bas, sa mère fait systématiquement la même chose avec la porte de son logement. *Étrange.*

Il se lance à la recherche de sa clé d'urgence. *Merde.* Il revoit ladite clé dans le bol posé sur la table du couloir de chez lui. Gagné par l'inquiétude, il frappe la porte de ses paumes en appelant sa mère. C'est sa voisine de palier qui sort. Sans la saluer, Maxime la questionne.

— Avez-vous une clé de chez elle ?

— Non… Ta mère est ben fine, mais elle fait pas confiance à grand monde.

Maxime fait fi de ce commentaire, trop obnubilé par sa recherche de solution.

— Ta mère, elle tombe souvent ces temps-ci.

— Elle tombe souvent ? Elle me l'avait pas dit…

— C'est ça, être mère : on veut pas inquiéter nos petits.

En l'écoutant d'une oreille, Maxime sort son cellulaire pour composer le 911. *Merde. Elle tombe souvent ? Depuis quand ? Pourquoi elle m'en a pas parlé ?*

L'appel terminé, il constate que la vieille voisine est rentrée chez elle. Rapidement, la sirène de l'ambulance résonne. Maxime descend pour ouvrir la porte avant aux ambulanciers et les dirige vers l'appartement de sa mère.

Une fois en haut de l'escalier, ils défoncent la porte, et Maxime voit Diane étendue de tout son long. Il s'accroupit à ses côtés, l'implorant de lui répondre. Les ambulanciers lui demandent de reculer afin qu'ils puissent l'installer sur la civière.

Dans l'ambulance, il prend place aux côtés de celle qui lui a donné la vie, troublé. Une main posée sur la sienne, inerte, il saisit son cellulaire de l'autre et appelle chez Eva. Alexis répond, dans tous ses états.

— Eva vient de partir. Elle est enceinte. J'ai été con, balance-t-il.

— Sais-tu où elle est ?

— Non, je sais pas. Mais j'pense que ça va pas, souffle Alexis.

Maxime lui lance un « au revoir » furtif avant de raccrocher. Il compose le numéro de cellulaire de sa sœur. Sans grande surprise, il constate qu'elle ne répond pas. Sa boîte vocale est pleine. Il entame la rédaction d'un court message texte puis s'interrompt.

Jetant un œil en direction de sa mère, il se ravise.

Il enveloppe Diane d'un regard protecteur. *Je vais être capable de m'occuper d'elle tout seul.*

En début de soirée, Ariane frappe délicatement à la porte de la chambre d'Eva, puis ouvre. Elle trouve leur invitée allongée sur son lit, les yeux clos et les écouteurs dans les oreilles. Elle s'approche d'elle en la scrutant. Elle a du mal à savoir si Eva est endormie ou si le sommeil se moque d'elle. Elle n'a pas l'air paisible. Lui arrive-t-il de l'être, parfois ? se demande Ariane. Il lui a toujours semblé qu'Eva était intense, à fleur de peau, à fleur d'émotions. Tout le contraire d'elle. Peut-être est-ce pour cette raison qu'elles ne seront jamais de grandes amies ? Tout de même, c'est l'amie de l'homme de sa vie. En bonne compagne qu'elle est, elle se doit de l'accueillir.

Elle pose une fesse sur le lit. Sentant un poids à sa gauche, Eva ouvre les paupières brusquement, se redresse sur ses coudes puis retire ses écouteurs. *Ariane.* Ses cheveux châtains encadrant son visage pâle, quasi translucide, font ressortir l'azur de ses yeux et la finesse de ses traits. On dirait un ange peint à l'aquarelle, prêt à disparaître à tout moment, pouvant laisser croire à quiconque qu'il vient d'être témoin d'une apparition.

Eva, elle, semble avoir été dessinée au fusain : des traits droits et francs. Une toile noircie, dure, opaque, qui détonne avec les couleurs des œuvres avoisinantes. Judith, la mère de sa plus vieille amie, lui avait déjà dit qu'elle était comme une toile de Soulages. Que dans sa noirceur, il était possible de voir toutes les nuances de lumière, aussi subtiles soient-elles. Que c'est dans l'obscurité que l'on saisit pleinement la pertinence de la lumière. Sa nécessité.

Puis, la voix de la jeune Ariane résonne dans les interstices de son cerveau. *« Ma mère trouve que t'es mal élevée. »* *Sa mère aurait préféré que je sois translucide. Comme elle.*

Ariane l'invite à se joindre à elle et Arnaud pour la soirée ; ils sortent dans un restaurant du Vieux-Montréal puis dans un bar jazz. Eva décline l'offre d'un simple mouvement de tête. Elle remet ses écouteurs en demandant à Ariane de fermer la porte derrière elle. Ariane se relève puis s'éloigne du lit, impuissante. La façon qu'Eva a de communiquer en ne disant rien, ou si peu, la déstabilise. Toute la force contenue dans cette seule personne la bouleverse. Comment se fait-il qu'Arnaud puisse partager son existence avec deux êtres si opposés ?

Eva est étendue de tout son long lorsqu'elle ouvre péniblement les yeux. Elle est encore engourdie par le sommeil profond duquel elle émerge, pareille à des algues crachées par des déferlantes, gisant sur la rive au lendemain de la tempête. Elle soulève la tête ; l'étourdissement qu'elle ressent lui fait reprendre sa position initiale. A-t-elle bien vu ? Elle porte une jaquette d'hôpital ? Comment s'est-elle rendue ici ? Après avoir pris une grande inspiration, dans un effort surhumain, elle relève la tête. Son regard s'arrête sur ses avant-bras entaillés, parcourus de tubes transparents reliés à un sac de soluté. Elle sent l'inquiétude monter en elle, une partie du corps à la fois. La voilà envahie. Elle tente de bouger ses membres. Impossible. Sa jambe gauche est attachée, comme sa jumelle droite, par une sangle. Ses bras ont subi le même sort. Eva tire de toutes ses forces pour se défaire de l'emprise des lanières de tissu, en vain. Découragée, elle repose le derrière de sa tête contre la table métallique sur laquelle elle est attachée. Le bruit de son souffle rapide l'affole davantage. Elle tente de crier ; un râle sort de sa bouche asséchée.

Soudain, une infirmière apparaît à ses côtés, paisible.

— Qu'est-ce qui se passe, ma belle ?

— Ça… Qu'est-ce que c'est, ça ? lui répond-elle faiblement, aussi fort que sa voix le lui permet, pointant du menton son corps immobilisé.

— Oh ! Ça ! Ne t'en fais pas, Eva. On te fait une dialyse. Désormais, l'amour remplacera le sang dans tes veines.

Devant son regard interrogateur, l'infirmière poursuit en haussant les épaules.

— Prescription du médecin.

Les questions d'Eva demeurent prisonnières de sa gorge. Ses yeux implorent l'étrange aidante à ses côtés de lui expliquer ce qui se passe. De lui expliquer n'importe quoi, n'importe comment. Pourvu qu'il y ait un semblant de sens.

— Détends-toi, tu sentiras l'effet sous peu, se contente de répliquer l'infirmière, qui jette un coup d'œil à sa montre pour appuyer son affirmation.

Eva ferme les yeux et commence à ressentir cet amour liquide qui la pénètre. Elle s'apaise, constate que la dame en blanc a dit vrai. Le parfum floral de l'infirmière gagne en intensité ; Eva a l'impression que ses sens se décuplent. Le duvet de son visage se hérisse sous le frôlement des cheveux soyeux de l'infirmière. Ses narines frémissent en percevant l'haleine de menthe poivrée de la dame, dont les mouvements agiles laissent une trace aérienne sur la peau d'Eva. L'inconnue lui murmure à l'oreille : « La torture est terminée. »

Eva émerge du sommeil et pose instantanément son regard sur ses avant-bras. Aucune trace de piqûres ou d'entailles. Un rêve ? Ça lui a semblé tellement réel. Après un bref moment de soulagement, l'angoisse de la veille revient de plus belle, s'infiltrant en elle comme un cancer.

J'ai un cancer dans le cœur. Dans la tête. J'ai un cancer généralisé ; je suis condamnée à vivre à perpétuité avec tous mes deuils, tous mes disparus.

Elle saisit son cellulaire sur la table de chevet : aucun appel manqué. Aucun message texte. Aucune nouvelle d'Alexis. Que le silence.

À quoi s'attendait-elle ? À ce qu'il la supplie de revenir après qu'elle lui ait lancé à la tête que jamais elle ne garderait un enfant ? Son enfant. Elle était convaincue qu'il comprendrait. Dans son énervement, elle n'a pas su corriger son impression. Elle n'a pas su lui dire que ce n'est pas de son enfant à lui qu'elle ne veut pas. Elle n'a pas pu lui expliquer que c'est elle-même qu'elle craint.

Ses mains sont attirées vers son ventre. Elle le regarde puis se ravise ; pourquoi s'attacher à un être qui la quittera sous peu ? Pourquoi lui faire subir à lui aussi un abandon ? Autant faire comme si elle ne le portait pas en elle. La séparation n'en sera que moins douloureuse. Pour eux deux.

Découragée à l'évocation de ce qui l'attend dans les prochains jours, elle entend ses amis qui s'affairent déjà dans la cuisine. La Terre n'a pas dévié de son axe. Les autres ont continué de vivre pendant que tout s'écroule autour d'elle. En elle, surtout.

Tendant l'oreille, elle décèle la voix de Jack Johnson qui s'élève dans le salon. *Sûrement pas un choix d'Arnaud !* Tout à coup, Eva n'a qu'un souhait : se rendormir. Elle plaque un oreiller sur sa tête, en fermant ses yeux le plus fort possible. Elle abandonne rapidement sa tentative ; les notes de guitare pop parviennent jusqu'à ses tympans. Son ami sombre dans la quétainerie, il n'y a aucun doute. Elle a toujours été fascinée par ces amoureux qui se soudent, se fondent l'un dans l'autre, perdant ainsi leur identité propre pour en former une autre.

Le besoin d'uriner se fait soudain sentir. Eva n'a pas la moindre envie de sortir de son refuge, d'être en présence du bonheur de ses hôtes. Elle grimace.

Elle scrute la chambre à la recherche d'une issue. Peut-être pourrait-elle se soustraire à la présence d'Ariane et d'Arnaud, pour ce matin du moins ? Elle soupire, résignée. Elle enfile son peignoir et sort de la chambre. Tout dans l'appartement l'agresse : la collection de photos, la couleur vive des murs, la quantité de lumière qui pénètre par les trop nombreuses fenêtres, sans parler du bruit envahissant.

— Bon matin, bella Eva ! Veux-tu des crêpes ? Je t'ai fait des crêpes ! la bombarde Ariane.

Eva répond par un grognement, poursuivant sa route vers la salle de bain. Lorsqu'elle en ressort, elle traîne les pieds jusqu'à sa chambre, décidée à y demeurer. À moins qu'elle quitte l'appartement en catimini ? Avant qu'Eva atteigne son cocon, Ariane lui tend un verre de jus d'orange. Elle interrompt sa marche, interceptant le regard de son ami mi-amusé mi-offusqué par le manque d'enthousiasme avec lequel elle accueille l'offre de sa douce moitié. Il boit une gorgée de café, lui tourne le dos et va à l'évier. Il prend le linge à vaisselle et s'applique à essuyer les bols et les assiettes qui jonchent le comptoir pendant qu'Ariane chante en harmonie les paroles qui s'échappent des haut-parleurs. Eva réprime un haut-le-cœur. Arnaud regarde amoureusement Ariane et lui met un peu de mousse sur le nez. Cette dernière rit en lui lançant à son tour de la mousse. Eva lève les yeux au ciel et réintègre sa chambre, décidée à éviter ses colocataires le plus longtemps possible. Elle s'habille à la hâte, attrape son boîtier métallique et sort avec son désir de s'étourdir.

Après un saut au dépanneur pour se procurer du papier à rouler et un paquet de cigarettes, Eva atteint le parc, ignorant les quelques familles en extase qui y sont déjà installées. Elle grimpe la clôture qui entoure le terrain de baseball et s'assoit sur le cabanon. Elle sort de sa poche sa petite trousse en métal, en extirpe le contenu, le roule, s'allonge sur le dos et allume son joint. Elle prend une première bouffée et laisse les vapeurs du THC emplir sa bouche puis sa gorge et ses poumons, où elles font leur œuvre.

Eva expire longuement et sent un semblant de calme s'emparer d'elle. Elle fixe le ciel, et espère que les nuages tombent sur elle, l'enveloppent et l'emmènent faire un tour. Elle ferme les yeux, laissant sa tête dodeliner doucement. Puis elle tire une autre bouffée qui accentue l'effet de la première et recommence jusqu'à ce qu'il ne reste que le bout de carton roulé servant de filtre. Elle lance son mégot par terre, puis déballe le paquet de cigarettes et en allume une. Il lui semble enfin qu'elle commence à semer le tumulte qui est à ses trousses depuis quelques jours. Soudain, elle se sent coupable et passe sa main aux ongles rongés sur son ventre.

11 juillet 2002

— T'es belle, Eva.

Elle se retourne pour le regarder.

— T'es fou, Alexis.

Il sourit.

— T'es pas capable de prendre un compliment, hein ?

— T'es pas capable de prendre une insulte, hein ?

— Donne-moi une *puff*.

Eva lui tend sa cigarette, se moquant de lui.

— Maudit rapace !

— C'est pour ça que tu m'aimes.

— Ah, ouin ? Parce que tu penses que je t'aime ?

Alexis la fixe sans répondre. Eva détourne les yeux et regarde le ciel, qui lui semble plus accessible lorsqu'ils sont juchés sur ce cabanon. Elle reprend sa cigarette d'entre les lèvres d'Alexis. Les lettres inscrites au marqueur noir se consument tout doucement.

Ils ont pris l'habitude d'inscrire le nom d'une personne qu'ils aiment sur ces cylindres cancérigènes, comme ils s'amusent à les appeler. Ils ont ainsi l'impression de fumer en l'honneur de quelqu'un, comme si ce quelqu'un pouvait deviner qu'ils pensent à lui durant au moins quelques minutes. Eva trouve ce rituel paradoxal : autant elle serait flattée d'apparaître sur les cigarettes d'Alexis, autant elle se demande si elle a envie d'être associée à cette toxicité.

— Qu'est-ce qu'on fait demain ? la questionne Alexis.

— Woh, calme-toi ! Il nous reste encore aujourd'hui à vivre.

— Il fallait pas que tu sois chez toi à 4 heures ?

— Ouais, pourquoi ?

— Il est 4 h 10.

— Merde !

Eva se relève avec empressement, prête à s'agripper de nouveau au grillage pour descendre. À ce moment, Maxime, arrivé de nulle part, somme sa sœur de rentrer sinon ils partiront sans elle.

— Tu prendras une gomme, tu pues la cigarette.

Eva lance un regard rempli de dédain à son frère, se résignant pourtant à le suivre. Elle n'aime pas qu'il s'immisce dans son monde à elle, surtout pas pour lui rappeler qu'elle appartient à ailleurs.

— Appelle-moi demain, OK ? dit Alexis.

— Si j'suis encore en vie…

Eva rentre à la maison en traînant les pieds. Elle revient à la réalité. À sa réalité. Il lui semble pourtant qu'elle se sent davantage chez elle lorsqu'elle ne s'y trouve pas.

— Bon, venez-vous-en, les enfants. Je vais vous présenter Denis ! J'ai assez hâte que vous le rencontriez, claironne Diane, imperméable au regard noir que lui envoie sa fille.

Le cellulaire d'Eva se fait entendre. Elle ouvre les yeux. Les images de son adolescence se dissipent avec la sonnerie agressante. Elle fixe l'afficheur, emplie d'espoir. C'est peut-être Alexis ?

Merde. Après une longue hésitation, elle répond. C'est son frère, qui l'invite à aller rendre visite à leur mère. Eva décline l'offre, prétextant un mal de tête insoutenable. C'est bien connu, personne n'ose argumenter avec quelqu'un qui a mal à la tête.

Elle lui assure cependant que son moral est bon. Toujours sous l'effet de la substance illicite auquel s'ajoute son trouble, elle ne détecte pas le ton inquiet, suppliant de Maxime. Il lui dit de prendre soin d'elle et de se reposer, et lui offre de venir la chercher le lendemain matin pour aller déjeuner.

— J'aimerais ça te parler.

Eva s'empresse de l'en décourager en lui disant qu'elle sera partie pour la fin de semaine à l'extérieur, si sa céphalée la laisse tranquille. Son frère n'insiste pas, l'incite à bien s'hydrater et à avaler des cachets d'ibuprofène, et raccroche.

Eva range son cellulaire dans son sac à main, soulagée de s'être tirée d'une rencontre familiale. Elle allume une autre cigarette, toujours allongée sur le dos. Elle sent la clôture sur laquelle sont appuyés ses pieds vibrer, reconnaît la voix de deux de ses élèves et s'empresse de lancer sa cigarette par terre, tournant la tête pour souffler la bouffée inhalée. Elle a juste le temps d'afficher son plus beau sourire avant d'apercevoir les visages des préados.

Les garçons semblent surpris de voir leur professeur ailleurs qu'en classe. Eva se souvient avec un sourire qu'elle aussi avait l'impression que ses enseignants ne faisaient que cela : enseigner. Elle devait avoir le même air que ses élèves lorsqu'elle en croisait un. Après avoir échangé quelques mots avec eux, elle leur cède la place, rassurée d'être toujours la même personne à leurs yeux. À ses yeux à elle, en quelques jours, tout a changé. Elle a changé.

Désorientée, elle marche sans but. Elle n'a jamais su profiter pleinement des vacances d'été. Le fait de ne pas avoir d'horaire, de destinations précises, de buts spécifiques l'angoisse plutôt que de lui laisser un goût de liberté. Tout ce temps libre, ce silence à dompter… Enfant, déjà, elle faisait des listes. Elle s'encadrait, se structurait. Elle s'insérait dans des petites cases pour avoir la certitude d'exister.

Elle n'a jamais su faire la distinction entre liberté et laisser-aller. Élève, elle pleurait la dernière journée d'école alors que tous les autres se réjouissaient des vacances qui commençaient. Arrivée chez elle, elle passait en revue ses travaux de l'année, feuilletait son agenda et commençait le décompte des jours qui la séparaient de la prochaine année scolaire.

Tout l'été, elle tournait en rond, traçant dans l'espace des cercles invisibles, continus, infinis, ne sachant que faire d'autre. Ni où aller. Elle aurait préféré être un chien attaché à un arbre au centre de la cour, qui tourne autour de son axe. Un mouvement circulaire, qui permet de faire le tour du jardin, d'explorer, de humer, d'observer, tout en étant relié à un centre immuable.

Eva aurait eu besoin d'un point d'ancrage. D'un arbre solidement enraciné dans la terre. Des racines fortes, larges, généreuses du saule pleureur plutôt que de ses branches frêles qui tanguent au gré du vent. De limites claires et rassurantes au lieu de cris fusant de toutes parts, même lorsque le silence s'insinuait dans tous les recoins de leur maison.

Encore aujourd'hui, elle se souvient d'un rêve qu'elle a fait quand elle n'avait que huit ou neuf ans. Sa mère et son père étaient au centre commercial, dans un kiosque. Sa mère lavait la vaisselle sauvagement ; les assiettes s'entrechoquaient, l'eau de l'évier giclait. Son père avait le regard dans le vague, un linge à vaisselle à la main. Puis, Diane commençait à se balancer d'avant en arrière et à rugir puis à s'asperger d'eau sale. Eva se souvient aussi de son état de détresse au réveil. Sa mère, folle ? Non. C'était impossible. C'était son père, le méchant. Pas sa mère. Pas Diane.

À l'école, tout était si simple. Un plus un égalent deux. Une constante, une constance. Une certitude. Lorsqu'elle faisait des efforts, elle récoltait les résultats. Elle aurait peut-être dû travailler avec les chiffres plutôt qu'avec la vulnérabilité des enfants ?

À la maison, il en était tout autrement. Elle faisait des pieds et des mains, en vain. Elle ne savait jamais où elle devait les poser, ses pieds. Elle craignait toujours de marcher sur une mine et, du coup, de déclencher la colère de son père, la détresse de sa mère.

Eva regarde l'écran de son cellulaire : 11 heures. Enfant, savoir l'heure la rassurait. Lorsqu'elle était dans la baignoire, elle interpellait son père.

— Quoi ?

Après une courte hésitation, elle lui demandait : « Il est quelle heure ? »

Et il lui répondait. Elle n'était pas seule. Son père était là. Jusqu'à ce qu'il soit 9 h 11. Jusqu'à ce qu'il n'y soit plus.

Diane émerge péniblement d'un sommeil lourd, dense. À mesure qu'elle reprend conscience de son corps, des douleurs apparaissent. D'abord au bras ; quelque chose lui pince la peau, lui transperce l'épiderme. De cela, elle est certaine, bien qu'elle ne puisse ouvrir les yeux pour confirmer ses sensations. Puis, une douleur fulgurante au dos la saisit. Elle a envie de crier, mais aucun son ne sort de sa bouche desséchée, de ses lèvres gercées.

Elle entend des bruits de pas, puis une voix rauque, suave, qui s'adresse à quelqu'un. À elle, peut-être ? Non. Un autre homme répond. Son fils ? Elle n'arrive pas à distinguer leurs propos. Elle perçoit seulement que l'homme à la voix grave se rapproche. Il semble s'affairer sur une machine. Encore des bruits de pas puis, plus rien.

Diane tente d'ouvrir les paupières ; elles s'y refusent obstinément. Son corps l'a laissée tomber. Mais que fait-elle donc ici ? Elle distingue un son régulier près de sa tête. « Bip. Bip. Bip. » La cadence s'accélère. Est-ce le rythme de son cœur qui bat ? Est-ce que ce bruit électronique contient toutes les blessures de son cœur, de son corps, présentes et passées ?

Soudain, ça lui revient. Son dîner avorté avec Maxime. Sa chute.

Alarmée, elle tente de nouveau d'établir un contact avec son fils qu'elle sait à ses côtés. Elle essaie de crier de toutes ses forces. En vain.

Maxime est assis près de sa mère. Il voit son visage se crisper. Il s'empresse de lui prendre la main et de lui murmurer des paroles rassurantes. Elle s'apaise.

Le médecin refuse, pour l'instant, de lui donner plus de détails concernant l'état de santé de Diane. « Encore des tests à faire », plaide-t-il. Maxime n'a aucune idée de la gravité de la situation. Mais à la quantité de morphine que les infirmières injectent à sa mère, il comprend que la douleur doit être très vive.

Il aurait besoin du soutien de sa sœur en ce moment. Mais il ne veut pas lui annoncer froidement au téléphone que leur mère est à l'hôpital. Pas en sachant qu'elle est en début de grossesse, et qu'elle et Alexis se sont séparés. Pourtant, il a besoin d'elle, besoin de lui parler, de la mettre au courant. Il sait que plus il attend, plus elle lui en voudra. Ni elle ni lui ne pourront faire face à un autre déchirement.

Leur famille est déjà suffisamment écartelée.

La faim tenaille Eva. Elle bifurque vers son bistro favori. Elle aime les bistros depuis qu'elle est toute petite, sans trop savoir pourquoi. L'ambiance, la musique en sourdine, l'odeur du café et des viennoiseries. Adolescente, elle fréquentait le café près de chez elle. Elle y trouvait du réconfort. Elle y allait le plus souvent seule. C'était son endroit à elle. Et elle y avait ses habitudes. Sa table. Toujours la même. Celle au fond, près de la fenêtre.

Après avoir englouti un petit-déjeuner copieux, Eva sort et marche en direction de la boutique d'antiquités. Les vapeurs de marijuana se sont dissipées, et elle peut affronter Judith, la mère de sa vieille amie Adèle, et sa lucidité.

Lorsqu'elle franchit le seuil de la porte, une clochette tinte. Elle n'aperçoit pas l'antiquaire. Elle lui a pourtant répété à maintes reprises qu'il n'était pas prudent de laisser la boutique sans surveillance, mais Judith aime encore mieux faire confiance aux gens et croire en leur honnêteté. Tout le contraire d'Eva.

Sans grande surprise, elle trouve Judith dans l'arrière-boutique, en train d'astiquer ses nouveaux arrivages : une table basse défraîchie, une chaise berçante qui nécessite un bon sablage et une lampe poussiéreuse. Eva s'assoit sur un tabouret et regarde cette femme qu'elle aime tant s'affairer. La voir vivre parmi ces meubles d'un autre temps lui donne l'impression d'être témoin d'une scène volée aux années 1930. Une époque à laquelle elle-même aurait aimé appartenir. Elle aurait ainsi pu changer le cours de l'histoire, faire dévier le destin de ses parents. Et le sien, par le fait même.

En se rongeant distraitement les ongles, elle imagine Judith, enfant, se bercer sur cette chaise en lisant une des nombreuses fables de La Fontaine. Quel genre d'enfant a-t-elle été ? Une enfant rebelle ? Certainement pas. Une enfant soumise non plus. Il semble qu'elle ait toujours su d'instinct trouver l'équilibre. Tout le contraire de moi, se dit Eva.

Elle constate qu'elle connaît bien peu de choses sur le passé de Judith ; étrangement, Judith et elle discutent davantage du présent dans cet endroit jonché de fragments d'autrefois. Et de l'avenir, parfois, aussi. Eva est quand même déjà allée dans la maison où Judith a grandi avec ses nombreux frères et sœurs. Une demeure centenaire construite par son arrière-grand-père aux abords du Richelieu. Sa passion pour les antiquités n'est sans doute pas étrangère à ce décor qui a accueilli son enfance.

— J'attendais de voir quand tu allais t'annoncer, lance Judith en se tournant vers Eva.

— Je te croyais dure de la feuille, rigole sa jeune amie.

— Je ne suis pas aussi vieille que tous ces meubles, répond Judith, avec un sourire en coin.

Eva se lève pour l'embrasser. L'antiquaire observe sa protégée, comme elle se plaît à l'appeler. Elle constate, au regard fuyant qu'affiche Eva, que quelque chose ne va pas. Elle scrute les profondeurs de ses yeux, les traits de son visage, sans trouver de réponse. Elle sait qu'elle a avantage à garder pour elle ses questions, qui ne provoqueront que détours sans jamais trouver une issue.

Elle l'invite sa jeune amie à prendre le thé ; Eva acquiesce et se dirige d'emblée vers la cuisinette, où elle remplit la bouilloire d'eau avant de sortir les sachets et les tasses. Elle revient avec le thé infusé. Toutes deux s'installent à la table basse que Judith nettoyait il y a quelques minutes à peine. Le silence se fait sentir, tout doucement, sans s'alourdir. Les yeux d'Eva s'arrêtent sur une commode qui lui semble minuscule ; les gens étaient-ils plus petits il y a cent ans ou avaient-ils une notion différente de l'espace ? Puis, son attention se porte sur une vieille machine à coudre ; une Singer.

11 juillet 2002

Ils parlent peu dans la voiture. « *Give me one reason to stay here…* » Eva se concentre sur le rugissement des cordes vocales de cette femme qu'elle a cru homme lorsqu'elle était petite. Tracy Chapman se questionne sur la raison qui la ferait rester ici, Eva se questionne sur la raison qui l'amène là-bas.

— On est bientôt rendus, les enfants ! lance Diane.

Cette manie qu'elle a, de les traiter comme s'ils avaient encore six et douze ans…

Diane pose une main sur la cuisse d'Eva, se voulant rassurante. Elle quitte furtivement la route des yeux pour les planter dans ceux de sa fille. Elle lui sourit, avant de ramener sa main sur le volant et son regard sur l'asphalte.

— J'ai assez hâte que vous rencontriez Denis ! ajoute Diane, souhaitant que son enthousiasme déteigne sur Eva.

La voiture s'arrête devant une maison encombrée. De vieux stores verticaux habillent la grande fenêtre négligée de la pièce qui donne sur la rue. Les marches qui mènent au balcon avant ont l'air de défier les lois de la gravité, tenant par on ne sait quel miracle. Des bûches de bois se serrent contre la façade de la demeure, recouvertes négligemment d'une bâche sale. Le gazon n'a visiblement pas été coupé depuis quelques semaines, et les mauvaises herbes n'ont pas été arrachées.

Diane presse ses enfants de sortir de la voiture. Ils suivent leur mère. La porte s'ouvre sur un homme affichant un surplus de poids et un style vestimentaire désuet. Quel contraste avec les complets de son père !

— Allô, chéri ! souffle Diane à son nouvel amoureux en s'approchant de lui pour l'embrasser.

Denis se tourne vers Eva, souriant. *Il lui manque des dents !*

— Salut Eva, Maxime, moi c'est Denis. Bienvenue chez nous ! Vous allez voir, icitte, on est heureux. Y a jamais de chicanes. Pas comme quand vous étiez plus jeunes.

Eva le fusille des yeux avec dédain. Maxime lui tend la main, se disant « enchanté » de faire sa connaissance. Eva lance un regard noir à son frère.

Ils se retrouvent tous dans la salle à manger, cette pièce qui a hérité des stores verticaux jaunis.

Pendant que Maxime, Denis et Diane discutent, la sonnette retentit. Sa mère et Denis s'exclament de joie. Eva regarde son frère, qui les suit docilement vers la porte. Des « Oh ! » et des « Ah ! » retentissent dans la maison, se heurtant à ses oreilles, qui n'entendent pas à célébrer, elles.

— Viens, Eva, on va te présenter les deux amis d'enfance de Denis.

Eva fronce les sourcils sans un mot et reste bien assise sur sa chaise. Diane implore sa fille du regard. En soupirant, celle-ci se lève et va vers l'entrée, mais se tient en retrait. Les deux hommes s'adressent à elle.

— Ben voyons donc, pas besoin d'avoir peur de nous autres. On va pas te manger !

Eva reste de glace. *Certainement pas, s'ils n'ont eux aussi que huit dents dans la bouche…*

Elle comprend qu'elle devra attendre toute la soirée que la nuit s'empare d'elle et la grise de sommeil.

Les invités sont à peine arrivés que plusieurs bouteilles de bière sont décapsulées et bien entamées. Sa mère boit goulûment son vin rouge, avant de se lever pour aller faire tourner un disque d'AC/DC. Plus les adultes boivent, plus Eva se sent étourdie. Sa mère se redresse dans un éclat de rire strident ; Eva aperçoit ses dents violacées et sa démarche maladroite. Diane s'approche d'une guitare en invitant Eva à en jouer pour les invités, mais lorsqu'elle la soulève, la guitare lui glisse des mains et atterrit sur son pied. Elle crie de douleur et échappe son verre, qui vole en morceaux.

Les trois hommes continuent leur discussion comme si le cri de Diane ne faisait que ponctuer leurs réjouissances sonores et alcoolisées. Eva accourt auprès de sa mère, Maxime sur les talons. Ils l'aident à se relever et l'amènent à la chambre de Denis. Eva enlève les bas de nylon de Diane, gagnant un accès privilégié à son pied enflé, déjà bleuté. Laissant Maxime auprès de leur mère, elle part à la recherche de glace, à tâtons, dans une cuisine inconnue, dans un congélateur étranger. En passant par la salle à manger, elle décoche un regard furieux à Denis, qui ne semble pas comprendre. De retour dans la chambre, elle applique la glace sur le pied endolori de sa mère. Ils restent tous les trois de longues minutes dans la chambre. Eva et Maxime consolent leur mère qui se plaint. Ils ont l'habitude. Denis arrive de son pas mal assuré qui accompagne des mots mal articulés.

— Qu'est-ce qui s'passe icitte ? balbutie-t-il.

Se tournant rageusement vers lui, Eva ne peut se contenir.

— Ça fait vingt minutes qu'elle braille. Tu l'as bien vu, qu'elle s'était échappé la guitare sur le pied !

— C'pas vrai que tu vas me parler de même chez nous !

Eva fait un bond de côté et sort prestement de la chambre. Elle s'élance dans l'escalier du sous-sol et entend les pas lourds de Denis qui la pourchassent. Il tend le bras, effleure le collet de son chandail. Eva dévale les marches, puis aperçoit une porte à sa gauche. Elle l'ouvre et s'engouffre dans la pièce. Elle referme la porte puis la verrouille. Denis tambourine sur celle-ci, sommant Eva de le laisser entrer. Le cœur d'Eva se démène dans sa cage thoracique. Son poursuivant finit par se décourager. Elle l'entend remonter l'escalier. Soulagée, elle s'affale sur le lit. Elle pleure en silence, le visage enfoui dans un oreiller poussiéreux. En relevant la tête, ses yeux scrutent la pièce sombre ;

ils s'habituent rapidement à l'obscurité et aux larmes. Elle discerne un vieux congélateur voisinant avec une machine à coudre Singer qui date du siècle dernier. Une pile de retailles de tissu gît sur une ancienne chaise de bureau. Elle voit un téléphone jauni par le temps et la fumée de cigarette. Elle prend le combiné, décidée à appeler Alexis. *Merde.* Elle n'arrive plus à se souvenir de son numéro. Ses yeux s'embrouillent, ses doigts s'emmêlent. Elle pianote sur le clavier du téléphone à plusieurs reprises, tentant de le joindre afin qu'il vienne la chercher. Elle interrompt son mouvement; comment le pourrait-il, puisqu'il n'a pas de permis de conduire?

Elle entend des pas dans l'escalier; elle se fige. Elle tend l'oreille: des plaintes. Sa mère. Eva déverrouille la porte afin de la laisser entrer.

— Je permettrai jamais à un homme de toucher à mes enfants, sacrament. On s'en va d'icitte! aboie Diane.

Eva remarque que son mascara a coulé. Elle secoue la tête et se concentre sur les propos que sa mère vient de laisser échapper. Ils n'ont aucun sens; Eva ne sait pas conduire, et Diane et Maxime ont absorbé une trop grande quantité d'alcool pour prendre le volant. Eva tente de dissuader sa mère de conduire. Des pas résonnent de nouveau dans la cage d'escalier: Denis. Diane le laisse entrer, sans hésitation aucune. Il se confond en excuses et en larmes.

Maxime arrive après avoir raccompagné les invités jusqu'à la porte. Il s'installe aux côtés de sa mère, lui tend un mouchoir et lui flatte le dos. Il lance un regard rempli de reproches à sa sœur, qui se tait. Ils sont coincés ici pour la nuit ; autant se faire oublier. Elle fait mine de pardonner à Denis en n'espérant qu'une chose : que le lendemain arrive au plus vite.

Le lendemain n'est pas à la hauteur des attentes d'Eva : Diane a tout oublié. L'alcool, sans doute. Ou le désir de ne plus se rappeler. Le besoin de ne plus se rappeler.

Judith prononce le nom d'Eva à plusieurs reprises, en vain. Cette dernière finit par se ressaisir, désorientée. Elle balbutie quelques excuses incompréhensibles à son interlocutrice, dépose sa tasse sur la table basse et sort en vitesse. Judith n'a pas le temps de lui répondre que la clochette de la porte se fait entendre.

Eva court jusqu'à ne plus avoir à réfléchir au mouvement de ses jambes, à son essoufflement, à la machine à coudre. Elle s'arrête pour emplir ses poumons d'air. Une cigarette. Elle a besoin d'une cigarette. Elle cherche frénétiquement son paquet, puis s'interrompt. Peut-être qu'elle ne devrait pas fumer. Ce n'est pas dans ses habitudes de le faire. Seulement lorsque l'angoisse la ronge. Ces jours-ci, l'inquiétude est à ses trousses. Elle se remet en quête d'une cigarette, puis s'interrompt de nouveau. Elle a laissé son paquet sur le cabanon du parc. *Merde*. Pourvu que ses élèves n'aient pas été tentés d'en allumer une, juste pour essayer.

Elle s'assoit sur la chaîne du trottoir et fixe le vide, dans l'espoir qu'il l'engouffre. Elle sort son cellulaire pour regarder l'heure. La vue des chiffres la rassure, même si elle n'a pas tout à fait enregistré l'heure qu'il est. Pourvu qu'il ne soit pas 9 h 11. Pourvu que le temps continue sa course. Rien de bon n'arrive à 9 h 11.

Des années plus tard, les souvenirs la happent, cristallins. Il lui semble que, dernièrement, ils lui rendent visite plus fréquemment. Quand les images de ses seize ans la quittent, la nausée prend le relais. À peine le temps de détourner la tête pour éviter de se souiller et elle est malade dans la rue. Elle se relève et entreprend péniblement de marcher vers l'appartement de son couple d'amis.

En franchissant le seuil de la porte, Eva retire ses sandales, puis se dirige vers la cuisine. Elle a soif. Elle boit d'un trait son verre d'eau et elle réalise qu'elle n'est pas passée sous la douche ce matin. L'eau lui fera sans doute du bien. Après une escale à sa chambre afin de prendre des vêtements propres, elle se heurte à une porte de salle de bain close. Elle tend l'oreille et distingue le bruit régulier de l'eau qui coule. Et des gémissements. Une pointe d'envie monte en elle, qu'elle s'empresse d'étouffer. *Pourvu qu'Arnaud n'éjacule pas sur ma bouteille de shampooing.* Elle retourne à sa chambre, se laisse choir sur le lit. Elle est déjà fatiguée de sa journée, qui est pourtant loin d'être terminée. Ses émotions sont énergivores, et elle n'a pas son allié de toujours pour l'aider à y faire face. *Alexis…*

14 août 2002

La nervosité s'est emparée d'Eva. Sa mère passe la soirée à l'extérieur avec Denis, et Maxime est chez un ami. Dans quelques heures, Alexis sera chez elle.

Depuis des années, ils se connaissent. Depuis la maternelle, en fait. Ils ont joué aux chevaliers ensemble, ont appris à lacer leurs souliers à peu près au même moment, ont vécu leur première retenue le même vendredi soir, après l'école. Ils ont pleuré en cachette lorsque la cloche annonçant la fin de la dernière journée du primaire se faisait entendre. Ils ont roulé ensemble leur premier joint approximatif, qu'ils ont fumé en s'étouffant, et elle a joué de la guitare pour lui. Ils ont parlé au téléphone presque chaque soir, ils ont erré dans les parcs de leur banlieue natale même par les plus grands froids, ils ont échangé leur premier baiser dans l'autobus, un jeudi matin banal aux yeux des autres. Ils se sont serrés dans leurs bras, ils ont laissé leurs mains se balader dans le dos de l'autre ; il a mis les siennes sur ses cuisses, elle a fait la même chose. Ils se sont embrassés langoureusement sur le divan bleu éclatant du sous-sol, ils ont mêlé leur salive, l'odeur de leur souffle, l'intensité de leur désir, mais jamais ils ne se sont vus nus. Bien qu'ils se soient souvent mis à nu.

Ce soir, toutes les conditions sont en place pour leur première fois. Eva a l'impression de voler cet acte aux adultes sans vraiment appartenir à leur monde. L'instant d'après, elle se sent pourtant prête à donner sa virginité à Alexis. Elle sait qu'elle fait le bon choix, c'est tout. Il lui semble que c'est dans l'ordre des choses, qu'ils en sont là, tous les deux.

Elle se demande tout de même comment cela se déroulera. Est-ce qu'elle doit planifier le moment exact ? Comment vont-ils finalement se rendre dans sa chambre ? À moins qu'ils fassent l'amour sur le divan du sous-sol, qui a déjà accueilli leur excès de désir ? Elle essaie de se remémorer comment, les fois précédentes, ils en sont venus à s'embrasser intensément. Elle n'arrive plus à se souvenir de rien.

Jamais elle ne s'est sentie ainsi avec Alexis ; cette nervosité, c'est nouveau pour elle. Elle a toujours su comment se comporter sans même avoir à se poser de questions. Tout est fluide avec lui. Naturel. Elle n'a qu'à être elle. Il ne veut rien de plus, rien de mieux, rien de moins. Avec lui, elle sait qui elle est. Pourtant, elle aurait du mal à se décrire si on le lui demandait.

Dans une tentative de détente, Eva s'empare de sa guitare, qu'elle gratte distraitement. Elle essaie de prévoir l'arrivée d'Alexis, son sourire, son regard, son soupir. Ne pas savoir la terrifie. Elle aurait envie de tout planifier afin qu'il n'y ait pas de mauvaises surprises. Ni de bonnes, tout compte fait. La sonnette la ramène au moment présent. *Seulement 4 heures. Il était censé venir à 7 heures ! Merde.* Eva passe devant le miroir. Elle sourit pour se donner une contenance avant d'aller ouvrir. Alexis se trouve sur le palier, l'air tendu.

— J'étais trop stressé. J'avais besoin de te voir. Et que ce soit comme d'habitude.

Les muscles d'Eva se relâchent. Elle prend son manteau, enfile ses chaussures et ferme la porte derrière eux. Ils cheminent vers leur lieu de prédilection : le cabanon du terrain de baseball.

Tous ses souvenirs sont empreints de lui. Elle se rappelle si clairement cette journée où elle avait eu envie de devenir une adulte, une fois pour toutes. Cette journée où elle avait voulu traverser dans le monde des grands, dans un univers où elle n'aurait à compter que sur elle. Cette journée où elle en avait eu assez d'être déçue par les adultes qui avaient le devoir de prendre soin d'elle, mais qui avaient affreusement failli à leur tâche. Elle rêvait depuis si longtemps de cette journée où elle s'échapperait enfin de l'enfance, de cet état de dépendance. Son corps aussi avait voulu fuir ; c'est sans doute pour cette raison que ses jambes avaient poussé à l'infini, pour qu'elle puisse les prendre à son cou.

Et elle voulait tellement se faire désirer par un homme. Par Alexis.

Mais cette fois-là, elle avait eu peur. Peur d'être une adulte décevante, elle aussi. Peur d'être déçue par la maturité.

Ensuite, il y avait eu cette fois où l'envie de devenir adulte s'était muée en un besoin. Alexis et elle avaient enfin fait l'amour, maladroitement, certes, mais fait l'amour.

Lorsque sa mère l'avait questionnée, Eva n'avait pu faire autrement que d'être honnête avec elle. Elles se prélassaient toutes deux dans la piscine. C'était une de ces journées d'été sans nuage. Ou peut-être avec un seul. Sa mère s'était mise à pleurer, doucement, d'abord, puis en hoquetant.

— Ma fille! Ma fille est devenue une femme!

Cette affirmation ne semblait pas être une fierté. Un deuil, plutôt. Celui de l'enfance de sa fille, de son innocence. C'était terminé : jamais plus Eva ne serait son prolongement. Eva était elle-même, désormais. Femme. Elle avait tenté par tous les moyens de dérider sa mère. Elle voulait tant ne pas la faire souffrir par le simple fait de se construire, de devenir adulte. Diane avait ressenti la même perte lorsque son bébé, comme elle l'appelait, lui avait annoncé qu'elle avait ses règles.

— Arrête de pleurer, maman, tu vas faire déborder la piscine !

Diane avait esquissé un sourire. Mais Eva n'était pas dupe. Elle savait bien que quelque chose à l'intérieur de sa mère s'était brisé. Par sa faute.

Aujourd'hui, Eva envie cette liberté qu'ont les enfants, qui les fait gambader sans raison apparente. Peut-être est-ce pour cela qu'elle a choisi de travailler auprès d'eux, dans l'espoir qu'ils lui transmettent, ne serait-ce qu'un tout petit peu, cette liberté.

Alexis. Il est toujours là. Même les choses banales refusent de l'être en sa présence, ou même quand elle l'évoque. Il lui manque et pourtant… Pourtant, elle est incapable de prendre son téléphone et de l'appeler. Elle est incapable de marcher les quelques centaines de pas qui la séparent de lui. Elle est incapable de supporter son regard déçu sur elle. Elle préfère, de loin, continuer de se l'imaginer patient, tolérant, compréhensif. Il lui semble que leur dernière conversation a fait chavirer tous ces sentiments qu'il avait à son égard. Elle savait bien que, tôt ou tard, ça finirait par arriver. Qu'il finirait par partir, lui aussi. Elle réussit invariablement à rendre les autres dépendants d'elle, à les avoir à sa merci. Elle leur jette de la poudre aux yeux ; ils ne voient plus qu'elle. Ils la magnifient, l'idéalisent. Puis, des semaines, des mois, des années plus tard, ils finissent par réaliser que tout cela n'était que mascarade, que plumes multicolores et paillettes. Qu'après le carnaval il ne reste que les déchets qui jonchent le sol, l'alcool qui sèche sur l'asphalte, les banderoles qui tombent en lambeaux.

Lui, il aura mis plusieurs années à la voir telle qu'elle est, à saisir sa monstruosité, son égoïsme. Mais c'est elle qui est partie. Il y a bien des façons de partir.

Ariane la tire de ses pensées en cognant doucement à la porte. Elle lui demande si elle se joindra à eux pour l'apéro. Eva décline l'offre, tournant le dos à son hôtesse. Elle s'essuie les yeux d'un geste rapide qui se veut discret. Sans même voir le visage d'Eva, Ariane peut deviner qu'elle ne va pas. La pièce est saturée d'émotions. Sa voix aussi. Quelle discussion a-t-elle donc pu avoir avec son amoureux pour qu'elle atterrisse ici à quelques minutes d'avis ? Qu'est-ce qui peut donc la faire chanceler à ce point, elle qui est si forte ?

Ariane se sent mal à l'aise face à une telle intensité. Arnaud lui a brièvement parlé de l'histoire d'Eva, sans entrer dans les détails. Il respecte trop son amie et ses souvenirs pour en divulguer la totalité. Ariane soupçonne depuis des années son amoureux de ressentir quelque chose de plus fort que de l'amitié pour son amie d'enfance. Sans vraiment savoir s'il s'agit d'amour. Peut-être un amour fraternel ? Il est si protecteur à son égard… Elle-même envahie par des questions sans réponse, Ariane quitte la chambre d'Eva, la laissant seule avec ses fantômes.

Elle rejoint Arnaud qui se change dans leur chambre. À son regard vague, il voit immédiatement que quelque chose cloche. Il la connaît, son Ariane. Il sait qu'elle a toujours été troublée par Eva ; comme si son amie la ramenait à ses propres doutes, alors qu'elle préfère généralement ne pas trop s'y attarder.

Il est possible que la nature de leur relation la dérange, aussi. Arnaud est très proche d'Eva depuis l'enfance ; il en a même été éperdument amoureux durant leur adolescence. Mais il a vite compris que ce n'était pas réciproque. Étrangement, il s'est ensuite tourné vers quelqu'un comme Ariane : douce, calme, paisible. Comme si, après avoir été tant chaviré par Eva, il avait eu besoin d'un long fleuve tranquille.

Avant de partir avec Ariane, Arnaud passe par la chambre de son amie. Il reste dans l'embrasure de la porte, les yeux posés sur elle. Eva sait que le regard de son ami la sonde. Elle est incapable de se retourner pour lui faire face. C'est la première fois qu'elle se sent aussi dépouillée. Elle n'a pas la force d'exposer ainsi ses blessures, même devant Arnaud. Voyant que son amie demeure immobile, il ferme la porte en silence et part.

Eva attend que le couple ait quitté l'appartement pour aller à la cuisine se servir un bol de la soupe maison d'Ariane. Peut-être y trouvera-t-elle un peu de réconfort, entre un morceau de tomate et un bout de carotte ? Le bouillon brûlant arrivera sans doute à dissiper le froid glacial qui l'habite. Du moins, momentanément.

Une fois son repas terminé, elle s'installe devant la télévision sans en voir les images, sans en entendre les sons. Elle s'affale de tout son long sur le divan, les yeux dans le vague. Elle fixe successivement la télé et les aiguilles de l'horloge qui semblent engourdies, voire paralysées. Le temps a arrêté sa course et se moque d'elle. Il s'étire toujours au mauvais moment, quand il devrait plutôt passer très vite. Défiant du regard les heures cristallisées, Eva, sans trop s'en rendre compte, finit par fermer les yeux et s'assoupir.

Cette nuit-là, elle est possédée par un sommeil agité. Elle rêve que son parrain l'entraîne dans son sous-sol par la force de son souffle immonde. Elle tente de fuir, mais elle en est incapable : ses bras et ses jambes sont liés avec de la laine de mouton de Mongolie, et, chaque fois qu'elle se débat, les fils lui déchirent la peau. Du Veuve Clicquot coule de ses blessures ; son oncle Alain se met à quatre pattes devant elle et lèche le liquide qui s'échappe des poignets et des chevilles de sa filleule. Elle lève les yeux et voit sa mère et son père qui les observent. Son père fait du ménage pendant que sa mère crie des paroles insensées. Son frère est dans le coin de la pièce, de dos. Il se retourne, et Eva distingue ses doigts : de longues aiguilles. Il s'approche de sa sœur et place ses mains à quelques millimètres de son visage.

Soudain consciente qu'elle est dans un rêve, elle se répète en boucle : *Réveille-toi, Eva. Ouvre les yeux, ce n'est pas difficile. Bouge le bras, ça te réveillera.* Elle sent son corps paralysé qui tombe. Elle a mal au cœur, elle a le vertige ; elle atterrit sur un banc du métro de Montréal. Elle est seule dans le wagon. Elle contemple les lieux, puis aperçoit une petite fille de cinq ou six ans. À moins qu'elle en ait sept ? La fillette est grande, mais ses traits semblent plus jeunes. Elle fixe le sol, le regard triste. Eva la contemple. Elle s'approche d'elle, s'accroupit. Elle lève la tête vers l'enfant, lui demande ce qui ne va pas. La petite fille se met à sangloter. Eva passe sa main dans ses cheveux, la prend doucement dans ses bras. La fillette rétrécit, puis fond et s'évapore.

Eva se réveille brusquement ; elle constate que le coussin est baigné de larmes. Elle est toujours sur le canapé du salon et n'a pas entendu son couple d'amis rentrer. Elle s'assoit. Elle sent la nausée s'emparer d'elle et a à peine le temps de détourner la tête pour vomir sur le sol. *Merde.* Elle s'essuie la bouche, se lève et se rend à la cuisine, en quête d'un verre d'eau. Appuyée sur le comptoir, elle avale une gorgée. Les images de son cauchemar s'imposent à elle. Son frère. Ses longs doigts en aiguilles. Ses cris nocturnes.

Presque chaque nuit, quand elle était enfant, Eva se faisait brutalement tirer de son sommeil par l'effroi de Maxime : ses cris passaient sous la porte de sa chambre, rampaient jusqu'à son lit, la rejoignaient sous ses couvertures et finissaient par pénétrer sans pudeur dans ses rêves. Quelques années plus tard, c'est Maxime qui accourait dans la chambre de sa sœur lorsque les cris de cette dernière transperçaient la quiétude de la nuit.

À l'évocation de ce souvenir, Eva frissonne et sent ses cheveux se hérisser sur sa nuque. Elle prend une seconde gorgée d'eau et va ensuite à la salle de bain se brosser rapidement les dents, écœurée par le goût persistant qu'elle a en bouche. Elle retourne à sa chambre. *Remerde*. Elle a marché dans la flaque de vomi oubliée au salon.

Le lendemain matin, Eva constate les nombreux appels manqués d'Adèle, sa plus ancienne amie. Il y a longtemps qu'elles se sont vues. Depuis qu'elle habite à l'autre bout du monde, leurs rencontres se font plus rares.

Garder le contact avec Judith la rapproche d'Adèle. Mais il y a plus que cela ; Judith est comme une deuxième mère pour elle. Elle l'a accueillie tant de fois dans leur demeure familiale, dans leur chaleur familiale, quand Eva était enfant. Elle lui a fait sentir qu'elle faisait partie intégrante de cette famille.

Aujourd'hui, Eva habite tout près de sa boutique. Un hasard ? Un beau clin d'œil du destin, plutôt. Cette proximité l'aide à mieux tolérer la distance qui la sépare d'Adèle. Mais elle se demande pourquoi Judith ne lui a pas parlé du retour de sa fille la veille et pourquoi Adèle elle-même ne l'a pas prévenue de son arrivée. Peut-être n'a-t-elle pas envie de la voir ? Peut-être a-t-elle senti de loin tout ce drame qu'Eva porte, encore une fois ? *Arrête d'être parano. Elle n'est pas devin... Et si elle avait tout vu du bout du monde, elle serait quand même là pour toi... non ?*

Soucieuse, Eva s'apprête à composer le numéro des parents d'Adèle, chez qui cette dernière loge à chacun de ses passages au Québec, puis se ravise. Elle n'a jamais aimé les confrontations. Probablement parce qu'elle craint ce qui pourrait en découler. A-t-elle peur à ce point des raisons que pourrait évoquer Adèle ? *Tiens, c'est bien la première fois que je doute d'elle... Qu'est-ce qui me prend ?*

L'écran de son cellulaire s'illumine, et la voix enjouée d'Adèle se fait entendre.

La joie de vivre de son amie, dont Eva est le témoin auditif, renforce sa décision : elle ne la questionnera pas sur les motifs de son silence. Elle déteste entacher la luminosité avec ses pensées obscures. De toute manière, elle exagère certainement. Comme bien souvent. Comme bien souvent elle se l'est fait reprocher, du moins.

Elles se donnent rendez-vous pour le dîner chez ses parents. En raccrochant, Eva se hâte vers la salle de bain, prend une douche rapide, pour ensuite enfiler les premiers vêtements qui lui tombent sous la main. Elle file vers la cuisine, boit en vitesse un verre de jus d'orange qui lui ouvre l'appétit. Elle ralentit la cadence et prend le temps de déjeuner. Aucun haut-le-cœur ne l'assaille.

Ariane croise sa pensionnaire en se rendant à la salle de bain. Elle surprend son regard lumineux et a peine à croire ce qu'elle voit ; hier encore, Eva était en position fœtale sur son lit, refusant de parler à qui que ce soit. Elle lui retourne son « bon matin » en poursuivant sa route vers la toilette. Lorsqu'elle en ressort, elle observe Eva qui attrape énergiquement son iPod, loge les écouteurs dans ses oreilles et s'empresse de quitter l'appartement. Ariane reste momentanément immobile.

Arnaud se lève et remarque le regard perplexe de son amoureuse qui fixe la porte d'entrée. Haussant les épaules, endormi, il se dirige à son tour vers la salle de bain.

Eva court jusqu'à l'arrêt d'autobus, où elle constate son avance. Elle fait les cent pas, secoue fébrilement les mains. Elle finit par s'asseoir sur le banc en faisant bouger ses doigts au son des accords de la guitare de son musicien préféré. Elle sent ses muscles se détendre doucement. Elle ferme les yeux et tourne son visage vers le soleil. Après quelques secondes à peine, elle a l'impression que la chaleur de l'astre l'engloutit. Voilà des jours qu'elle n'a pas ressenti la chaleur. Qu'elle ne s'est pas donné le droit d'y goûter. Elle laisse son armure foutre le camp. Pour ce matin, du moins. En souvenir du bon vieux temps.

La luminosité d'Adèle est contagieuse, elle aussi.

*

7 février 1993

Eva se fait réveiller par les lueurs du soleil qui se fau-
filent entre les stores horizontaux. Elle s'étire, tourne
la tête vers le lit de son amie. Elle sourit pour elle-
même. Adèle dort encore, la bouche ouverte, en ron-
flant doucement. Eva était si rassurée la veille que son
amie l'invite à coucher chez elle ! Même si elle était
allée jouer chez Ariane la journée d'avant. Eva avait
tellement eu peur de perdre Adèle, peur qu'elle lui
préfère Ariane, sa douceur, sa gentillesse... sa per-
fection. Mais elle avait eu tout faux. Adèle l'aimait
toujours autant, elle n'avait pas divisé son amour en
deux, elle ne se sentait pas obligée de faire un choix
déchirant entre ses deux amies. Eva n'avait pas ce luxe
avec ses parents ; elle devait toujours choisir son camp.

Elle est la première réveillée, comme d'habitude.
Elle s'enroule dans les couvertures et fixe les motifs
que le soleil dessine sur la marqueterie. Quand elle
entend Adèle bouger dans son lit en bâillant, elle lui
adresse son second sourire matinal.

— Bon matin !

— 'matin !

Elles restent ainsi un instant, à contempler le
silence, s'habituant au jour comme à leur état d'éveil,
jusqu'à ce que les parents d'Adèle se lèvent.

Quelques minutes plus tard, tous les quatre
sont réunis autour de la table. Le petit-déjeuner se

déroule comme chaque fois dans la cacophonie la plus totale. Eva observe, silencieuse. Elle sourit, en croquant à pleines dents dans sa rôtie recouverte de chocolat. Judith s'approche d'elle, prend délicatement son lobe d'oreille droit entre son index et son pouce, et la complimente sur le bijou qui l'orne. Une vague de fierté s'empare d'Eva ; elle explique à la mère d'Adèle que c'est sa mère qui lui a offert ces boucles. Ses deux vies familiales s'entremêlent grâce à un objet si petit qu'il pourrait disparaître facilement dans le drain d'un évier, entre les fentes d'une bouche d'égout.

Lorsqu'elles ont fini de manger, Eva et Adèle s'esquivent dans la salle de bain, qu'elles prennent soin de fermer à clé. Elles allument et ouvrent la trousse de maquillage de Judith.

— Bon, qui commence ?

— Moi ! Maquille-moi en premier, dit Eva.

Adèle sort les pinceaux, les ombres à paupières, le khôl et le fard à joues.

— OK, ferme tes yeux.

Les fins poils du pinceau chatouillent Eva, qui rit en éloignant son visage.

— Oups ! Je t'en ai mis partout. Essaie de pas bouger. Attends, je vais sortir le démaquillant, dit Adèle.

Elle ouvre la porte du cabinet, mais ne trouve pas la lotion convoitée.

Eva jette un œil dans l'armoire devant elle et y trouve le démaquillant, triomphante. Elle dévisse le bouchon puis tend la bouteille à Adèle. Le contenant tangue sur la gauche et heurte le coin du comptoir. Le liquide se déverse sur la céramique de la salle de bain. Horrifiée, Eva se retourne prestement en direction d'Adèle.

— Oh non ! J'ai pas fait exprès, je te jure ! gémit-elle avant de fondre en larmes.

Adèle affiche un air surpris devant la réaction de son amie. Elle s'empresse de lui tapoter maladroitement le bras. Ayant entendu les sanglots d'Eva, Judith cogne doucement à la porte et s'informe de la situation. Adèle essaie de la rassurer, mais sa mère insiste pour qu'elle lui ouvre la porte. L'enfant s'exécute, jetant un regard désolé à son amie. Judith remarque Eva, appuyée contre le bain, le visage en larmes. Adèle tente quant à elle de récupérer la lotion répandue sur le sol. Judith pose délicatement sa main sur l'épaule de sa fille et lui fait signe d'interrompre ses efforts inutiles. Elle se tourne ensuite vers l'amie de sa fille, la prend dans ses bras. Cette dernière se confond en excuses. Judith la console doucement. Elle lui tend un mouchoir et Eva assèche son visage.

— La prochaine fois, les filles, faites simplement plus attention. OK ?

Eva et Adèle acquiescent. Judith sort de la salle de bain. Eva soupire de soulagement : il y aura une prochaine fois.

Toutes les maisons sont alignées, pareilles ou, du moins, semblables. Maisons de brique, attenantes à des maisons en lattes d'aluminium, habitées par des êtres quasi identiques à leurs voisins. Eva devine ce qui se cache derrière cette façade bourgeoise. Un père de famille qui chevauche sa maîtresse sous les yeux ahuris de Médor, le chien qu'il a acheté à ses enfants après avoir obtenu d'eux la promesse de le faire marcher tous les soirs et de ramasser ses besoins sur la pelouse fraîchement coupée de la cour arrière. Peut-être l'homme est-il sur le point de jouir, pendant que sa femme est allée renouveler son ordonnance de Prozac à la pharmacie après avoir dévalisé les boutiques de luxe du centre-ville et que son fils de seize ans frappe un élève de sa classe simplement parce qu'il est gai, sous les rires et les regards impressionnés de ses amis, lesquels filment la scène dans l'espoir de la mettre sur YouTube et de devenir des vedettes instantanées.

Il y a aussi cette voisine d'en face, Cassandra ; à vingt et un ans, elle se fait appeler Candy entre deux danses, entre deux tours du poteau sur lequel elle frotte sa vulve fraîchement rasée en alternance avec les seins gonflés, ronds et durs que son père lui a payés le lendemain de ses dix-huit ans.

Eva réalise qu'elle est arrivée. Elle descend à l'arrêt de bus tout près de la maison où elle a grandi – où elle a voulu grandir à tout prix, plutôt –, qui est désertée depuis quelque temps déjà. Elle baisse les yeux, les rive sur l'écran de son iPod à la recherche d'une chanson de circonstance. S'emplir les oreilles de musique la soustrait à cette vision insoutenable qu'est le décor des souvenirs qui l'imprègnent, qui lui brouillent la vue, la vie.

En relevant la tête, elle constate qu'elle est devant la maison d'enfance d'Alexis. Elle fixe la fenêtre du sous-sol, jadis celle de sa chambre. Combien de fois y a-t-elle pénétré à l'insu des parents de son amoureux ? À moins qu'ils l'aient su, sans jamais s'interposer. Ils sont dotés d'une sensibilité, d'une compréhension hors du commun. C'est d'ailleurs ce qu'elle apprécie chez eux ; elle n'a jamais eu à se raconter pour qu'ils sachent. Parfois, elle se dit qu'elle entretient cette attente envers tout le monde ; c'est peut-être pourquoi elle est toujours déçue par les nouvelles rencontres, leur préférant de loin les liens qu'elle a tissés avec ses amis de toujours.

Avant même qu'Eva atteigne la sonnette, la porte s'ouvre. Adèle la prend dans ses bras. Judith et Richard apparaissent derrière leur fille, font la bise à Eva. Tous l'invitent à entrer.

Les amies se sourient, puis Adèle lui propose de faire un saut dans la piscine. Eva, dans son empressement matinal, a oublié son maillot. Son hôtesse lui fait signe de la suivre jusqu'à la salle de bain et lui en lance un avant d'aller se changer. Le maillot enfilé, Eva rejoint son amie dans sa chambre. Elle s'assoit sur le lit ; Adèle s'installe à ses côtés et la contemple. Son regard s'arrête sur l'ecchymose violacée que son amie arbore sur le bras. Elle fronce les sourcils, inquiète. Eva s'empresse de la rassurer, lui expliquant qu'elle s'est elle-même blessée par inadvertance. Comme cela lui arrive fréquemment. Ce sont surtout ses jambes qui écopent. Ses jambes souvent couvertes de bleus, vestiges de ses maladresses, de son étourderie. À croire qu'elle se fait un devoir d'abîmer les quelques atouts qu'elle se trouve. Du sabotage.

— Qu'est-ce qui se passe, Eva ? Et je ne parle pas de ça, ajoute Adèle en désignant l'ecchymose.

Eva sourit faiblement. Ses yeux s'emplissent de larmes, sa gorge se serre et emprisonne les mots. Adèle la prend dans ses bras. Eva éclate en sanglots et son amie l'enveloppe de ses bras, en silence. Une fois apaisée, Eva plonge ses yeux dans ceux d'Adèle.

— Je suis contente que tu sois là. Tu me manques, tu sais ?

— Tu me manques aussi, Eva.

— Même au pays des kangourous ?

— Encore plus au pays des kangourous, réplique Adèle, un sourire naissant sur ses lèvres.

— Quand est-ce que ton contrat se termine ?

— Je sais pas encore. Dans six mois, peut-être dans un an ?

Eva ne répond pas. Elle fixe son amie en se questionnant sur sa capacité à lire en elle. Comment a-t-elle pu voir que quelque chose n'allait pas ?

Adèle tire son invitée de ses réflexions silencieuses et la traîne à l'extérieur sans rien ajouter. Elle sait pertinemment qu'elle n'obtiendra pas davantage d'informations.

L'après-midi passe trop vite. Il semble à Eva que le temps file dans les moments qu'elle aimerait figer afin de les revivre sans jamais s'en lasser. À l'inverse, ceux qu'elle voudrait vivre en accéléré s'étirent et passent en boucle.

Eva est invitée à souper ; elle apprécie toujours autant les repas partagés avec cette famille, sa famille. Judith insiste pour qu'elle regarde avec eux le film du samedi soir, rituel inchangé depuis des années au plus grand bonheur de Richard, fier cinéphile. Eva s'installe sur le divan, entre Adèle et sa mère ; elles sont ensevelies toutes trois sous une énorme couverture. Lovée entre les deux femmes les plus saines de sa vie, Eva se sent chez elle. Elle s'endort avant même que le film ait vraiment débuté. La quiétude de la maisonnée lui permet de baisser sa garde et de laisser le sommeil l'engloutir avec gourmandise.

À la fin du film, Adèle la réveille doucement et l'entraîne dans sa chambre.

Lorsque Eva ouvre les yeux le lendemain matin, il est 11 heures. Elle enfonce sa tête dans l'oreiller en souriant. Il y a longtemps qu'elle a aussi bien dormi, engourdie par une nuit sans agitation. Adèle a déjà quitté son lit ; sans doute est-elle partie faire son jogging matinal. À cette heure, elle est peut-être même revenue et a eu le temps de changer le monde quinze fois ! Eva se lève, s'habille et se rend à la cuisine, animée depuis belle lurette. Judith lui offre son déjeuner en souriant. Eva entend la tondeuse de Richard ronronner dans la cour et aperçoit Adèle qui aide son père en passant le taille-bordures. Entre deux bouchées de saucisse, Eva est prise d'un haut-le-cœur. Elle a à peine le temps de se rendre à la salle de bain qu'elle éjecte les quelques morceaux engloutis. Judith vient la rejoindre avec une débarbouillette froide et un verre d'eau, qu'elle lui tend.

— C'est le stress, ma belle, ou la grossesse ?

Eva soupire, appuyée sur le siège des toilettes, sans la regarder. Judith s'assoit à côté d'elle et lui passe la main dans le dos.

— Judith ?

— T'inquiète pas, Eva. J'en parlerai pas à Adèle.

— Merci.

Judith sort de la salle de bain. Peu après, Eva fait de même et va chercher ses affaires dans la chambre d'Adèle. Elle croise Judith à la cuisine.

— Elle repart quand ?

— Dans trois jours.

Eva hoche la tête. Elle embrasse Judith, qui a eu la délicatesse de ne pas l'interroger sur son départ précipité de la veille, à la boutique.

— Je serai au magasin cet après-midi, lui indique doucement sa « mère adoptive ».

Comprenant l'invitation détournée, Eva acquiesce de nouveau.

Richard et Adèle sont encore occupés à entretenir la pelouse. Eva les regarde travailler un instant avant de se retourner, de traverser la cuisine, puis de passer la porte d'entrée.

Elle a toujours détesté les au revoir.

Eva se penche et tire sur la tige d'une petite fleur violette qui s'est glissée dans une fente d'asphalte pour l'arracher à son destin. Elle fait subir le même sort à un pissenlit. Ce sont de loin ses fleurs préférées. Elles trouvent le moyen de naître et de grandir dans un environnement aride. Personne ne peut soupçonner leur capacité de tendre vers le soleil, elles qui proviennent des ténèbres bétonnées.

Elle franchit le lourd portail en fer forgé, puis le referme. Elle s'avance dans l'allée de gravier, tourne à gauche à la troisième rangée et poursuit jusqu'au bout. Elle connaît le chemin par cœur.

Elle dépose les fleurs sauvages sur la pierre chauffée par le soleil de midi et s'assoit afin que ses yeux soient à la hauteur de son offrande. Elle inspire profondément, puis ferme les paupières. Elle entend des rires cristallins au loin ; probablement des enfants qui jouent à la cachette. Probablement des enfants qui ne comprennent pas l'irréversibilité de la mort. Probablement des enfants qui font sourire les adultes par leur innocence, leur naïveté, leur pureté, qui arrivent à amnésier momentanément la douleur de la perte. Comme elle envie leur éclat. Comme elle envie leurs rires. Comme elle envie leur enfance.

Elle rouvre les yeux pour les contempler, mais il semble qu'ils soient déjà partis, laissant un sillon de nostalgie dans l'air mortifié. Eva se couche sur le côté, appuie sa tête sur sa main droite et fixe la pierre.

Je ne connais rien de toi, papa. Jamais tu n'as parlé de ton enfance, de ta vie d'avant. Quel genre d'élève étais-tu ? Écoutais-tu bien tes enseignantes ? Te donnaient-elles des coups de règle, après t'avoir fait porter le bonnet d'âne ou t'avoir collé ta gomme mâchée sur le nez ? Et tes amis, papa ? Comment ils étaient ? Qu'est-ce que vous faisiez ensemble ? Et après ? Parce qu'il y a toujours un « après ». Alors, après, as-tu défié l'autorité de ta mère ? As-tu pleuré ton père ?

Après ta mort — pour moi aussi il y a un après… et un avant, forcément —, maman non plus n'a jamais parlé de toi. Ni de l'avant mariage ni de l'avant naissance de Maxime. C'était le passé. C'était ton passé. Je ne sais pas si elle voulait éviter de trahir ta mémoire. De travestir tes souvenirs.

Pour moi, tu n'as été qu'un père et un mari maladroit. C'est tout ce que j'ai connu de toi. Je n'ai jamais rencontré tes amis. En avais-tu, papa ? Voulais-tu nous les cacher ? Avais-tu peur qu'on puisse voir qui tu étais ou avais-tu peur qu'ils voient ce que tu pouvais être ?

Je ne peux qu'essayer de deviner à quoi notre relation aurait pu ressembler, aujourd'hui. Mais je n'arrive pas à te voir, à ajouter les rides que tu aurais autour de tes yeux, de ta bouche aussi, sans doute. Je n'arrive pas à imaginer ton crâne dégarni — ou peut-être ne serait-ce qu'une calvitie naissante ? Je n'arrive pas à esquisser nos discussions d'adulte. M'aurais-tu conseillée, papa ? Aurait-on été intimes au point où je t'aurais demandé conseil ? Aurais-tu compris ma peur de le mettre au monde, cet enfant-là ? M'en voudrais-tu, toi ?

Serais-tu encore avec maman ? Serait-elle folle ?

C'est ma faute, papa. C'est ma faute, tout ça. J'ai souhaité que ça s'arrête. Je m'excuse… Pardonne-moi.

14 avril 1998

Des pas résonnent sur le perron avant. Eva retient sa respiration pour mieux tendre l'oreille. Elle entend les clés qui tintent en s'entrechoquant, puis en heurtant la porte. Elle pourrait reconnaître leur son entre mille. Elle tente de se déconnecter précipitamment, mais la souris d'ordinateur refuse de répondre à la commande. Une mallette atterrit lourdement sur le plancher au-dessus de sa tête. La porte du sous-sol s'ouvre brusquement, et deux pieds martèlent en alternance les marches. La voix de son père tonne, gronde, tempête sur elle, en elle.

Que fait-elle encore sur Internet ? Et si quelqu'un essayait de le joindre ? Ne réalise-t-elle pas qu'elle bloque la ligne téléphonique ? À qui peut-elle parler ? À qui manque-t-elle déjà, à peine une heure après la fin des classes ? À qui peut-elle bien manquer, tout simplement ? Sait-elle à quel point elle est égoïste de monopoliser tous les moyens de communication de la maison ? Elle n'est pas seule, ici. Elle est dans sa maison à lui. Avec ses règles.

Eva n'écoute plus Robert. Mais elle l'entend. Sa voix s'imprègne dans chacune de ses cellules, s'immisce dans son crâne. Une chanson se compose d'elle-même dans sa tête : un solo de guitare électrique qui enterre la voix gutturale de son père. Les doigts de sa main gauche font les accords sans son consentement. Eva ferme les yeux pour mieux distinguer les notes stridentes de sa composition musicale. L'une des commissures de ses lèvres pointe vers le haut, formant un demi-sourire. C'est à ce moment que la main de son père se referme sur son bras, ce qui met un terme abrupt à son œuvre. Elle rouvre les paupières et voit Robert qui menace de la frapper au visage.

— Toi, mon tabarnak, tu me touches, pis j'appelle la police. C'est toi qui vas être dans marde. C'est-tu clair?

Robert regarde sa fille, interloqué. Il retire son bras, puis se racle la gorge et lui rappelle de se déconnecter d'Internet. Il tourne les talons et remonte à l'étage.

Comme sa mère, lorsque celle-ci était une enfant, Eva vient de défier son père. À l'inverse de ce qu'elle s'était imaginé, elle se sent tout sauf héroïque.

Le lendemain, son père s'excuse auprès d'elle de son comportement de la veille. C'est la première fois qu'il s'excuse.

La première fois et la dernière. Eva ouvre les yeux. Elle prend quelques secondes pour se souvenir de l'endroit où elle se trouve. Elle tourne la tête vers la gauche et soupire. *Papa.* Elle scrute la pierre tombale ; de la moisissure s'est déjà insérée dans les courbes des « R » et du « E » de son prénom. *La nature s'occupe de ternir ta mémoire, papa.* Elle détourne son regard qui se pose sur le ciel, promesse de l'infini. Une horde d'oiseaux noircit soudain le firmament ; Eva a toujours été émue par leur solidarité. Un en tête, les autres le suivant dans un vol en forme de V, à l'abri des bourrasques. Puis, ils échangent leurs positions. Jamais un oiseau n'est laissé seul derrière, à moins qu'il soit blessé et que ses chances de survie soient pratiquement nulles. Peut-être est-ce pour cette raison que les membres de sa famille se sont laissés derrière les uns après les autres. Peut-être était-ce une question de survie.

Eva se revoit, enfant, en train de se balancer au parc. Elle cambrait le dos, laissait tomber sa tête vers l'arrière pour mieux voir le ciel. Lorsqu'elle arrivait à l'apogée de son élan, elle avait chaque fois l'espoir que ce serait la bonne, qu'elle aurait assez d'impulsion pour s'envoler, pour survoler le parc, puis monter plus haut. Pour partir loin, là où il ferait chaud, pourquoi pas, sans oublier d'aller d'abord chercher Alexis, après avoir fait quelques prouesses pour susciter son ébahissement. Ils partiraient ensemble s'installer sur un nuage, le plus duveteux, le plus moelleux de tous. Lorsqu'ils en auraient assez de se prélasser, ils s'élanceraient dans l'azur céleste à la recherche de paysages époustouflants et d'amis ailés pour faire la route. Ils seraient libres, orphelins, exempts de passé et de futur. Ils ne vivraient que pour le beau, le grandiose, l'éclat.

La nuit, avant que les cris de son frère en proie à des cauchemars ne viennent déchirer sa sérénité, il arrivait fréquemment à Eva d'en rêver de ce ciel enveloppant, de ces paysages à couper le souffle, de cette amitié réconfortante. Seule cette dernière subsistait à son réveil.

27 juin 1998

Attablé depuis plus d'une heure, Robert consulte sa montre. *Les enfants doivent être partis. Diane aussi.* Après avoir réglé la note, il réintègre sa voiture pour rentrer à la maison une dernière fois.

Derrière le volant, Robert est calme. Il est en paix avec la décision qu'il mijote inconsciemment depuis bien longtemps. Hier, il a senti que le moment était venu. Une fois dans la chambre de sa fille, il n'a pas pu être honnête jusqu'au bout. Il a préféré lui faire croire que son départ ne serait pas définitif. Mais il en a assez de cette souffrance qui le taraude, le talonne et l'assaille. Il sait qu'il n'arrivera pas à la semer.

Sans lâcher la route des yeux, il allume la radio à son poste favori, qui passe de vieux succès en boucle. La voix d'Édith Piaf résonne dans les haut-parleurs. *Non, rien de rien…* Robert sourit. Il chante avec elle, elle qui l'accompagne dans ce moment de solitude.

Non, je ne regrette rien.

Eva reste allongée sur la pelouse lorsqu'elle sent son cellulaire vibrer ; c'est un message texte de son frère, qui l'invite à déjeuner le lendemain. Sans prendre la peine de répondre, elle se relève, essuie les brins d'herbe collés sur ses jambes nues et marche jusqu'à l'arrêt d'autobus.

Elle franchit la porte de la boutique de Judith en milieu d'après-midi, un sac contenant des viennoiseries à la main. Judith se charge du thé ; Eva s'occupe des tasses. Elles s'installent dans l'arrière-boutique, à la vieille table basse qui a longtemps meublé le boudoir de la maison d'enfance de Judith.

Un jour, Judith offrira la table à Eva. Elle sait fort bien qu'Adèle n'en sera pas jalouse ; sa fille préfère de loin les meubles ultramodernes et n'arrive pas à comprendre la fascination de sa mère et de son amie pour les « vieilleries », comme elle les appelle.

Quant à Eva, Judith est convaincue qu'elle saura honorer sa mémoire. La mémoire de leurs moments partagés.

Elle a compris dès qu'elle a rencontré Eva, il y a de cela plus de vingt-cinq ans, que quelque chose de particulier l'habitait ; une rage, une fureur ou plutôt une urgence. Urgence de vivre pour deux, pour mille, peut-être bien. Urgence de vivre plusieurs vies à la fois : le passé, le présent et le futur. Même toute petite, elle était ainsi.

Judith a saisi assez tôt qu'Eva n'avait pas d'âge. Elle était une de ces enfants dont on dit qu'ils ont une vieille âme. Elle est devenue une adulte à qui on attribue un cœur d'enfant.

Eva est aussi une de ces personnes qui ne peuvent faire autrement que d'être vraies ; quand elle tente de dissimuler une émotion, ses yeux, sa voix, la forme de ses lèvres parlent pour elle.

La première fois que Judith l'a emmenée avec sa famille dans la demeure de sa jeunesse, Eva contemplait les meubles anciens d'un œil ébahi. Elle lui a rapidement confié être fascinée par les antiquités. Judith aurait pu le dire avant même que sa jeune protégée lui en parle. Simplement à la manière qu'elle avait de poser sa main sur le dessus d'une commode des années 1900 en la laissant glisser de tout son long, avant de s'éloigner de la pièce centenaire pour l'admirer.

Encore aujourd'hui, Judith voit Eva s'apaiser chaque fois qu'elle entre dans la boutique. Elle sait à quel point l'amie de sa fille est fascinée par les histoires que murmurent les meubles, à quel point elle aime les histoires ; à quel point elle aime les raconter, se raconter, aussi. Pas toujours ; quand elle le décide. Jamais Judith n'a réussi à la faire parler contre son gré. Eva a cette façon de s'ouvrir, doucement, au moment qu'elle a soigneusement choisi.

Eva s'apprête à engouffrer une partie de sa chocolatine quand son cellulaire vibre de nouveau. Elle interrompt son mouvement dans l'espoir que ce soit Alexis. Ce serait tellement plus simple si c'était lui qui faisait les premiers pas. Elle éviterait ainsi un éventuel rejet. Elle consulte l'afficheur : son frère. Encore. Eva lève les yeux au ciel, lance son téléphone sur la table basse et reprend sa gâterie chocolatée là où elle l'avait laissée. Judith la fixe avec un air interrogatif. Sa jeune amie se contente de pointer sa bouche du doigt en exagérant sa mastication.

La vibration du cellulaire cesse.

— Depuis quand Eva Archambault ne répond pas à son téléphone ?

— Depuis quand tu parles de moi à la troisième personne du singulier ?

Judith sourit et prend une gorgée de thé. Elle dépose sa tasse en fixant Eva de son regard profond.

— C'est ton frère, c'est ça ?

Eva acquiesce dans un grognement et prend une autre bouchée en évitant soigneusement les yeux de l'antiquaire. Cette dernière demeure silencieuse, dans l'espoir qu'Eva en dise davantage.

— Il veut que j'aille avec lui rendre visite à notre mère.

Judith hoche la tête, prête à accueillir les confidences de sa protégée.

— Je lui en veux.

— Tu l'évites pour la punir ?

— Non. Je l'évite pour moi. Chaque fois que je la vois, je reviens frustrée, déçue, désenchantée.

— Ce sont des émotions que tu choisis de vivre…

— Et tu vas me dire que c'est l'enfance que j'ai choisi de vivre aussi ?

Judith sent la patience de son interlocutrice fondre rapidement. Elle sait qu'elle doit peser ses mots si elle ne veut pas qu'Eva la déplace dans la case « menace » et se referme subitement. Elle a cette manière de tout classer, même les gens…

— Non. Mais, maintenant, tu es une adulte. Tu as le choix de faire ce que tu veux de ta vie. De voir ce que tu as vécu d'un autre œil. Et de te débarrasser de ta colère.

— Justement. J'ai toujours dû être l'adulte avec elle. J'ai l'impression de tout donner et de ne rien recevoir.

— Tu fais le compte, Eva?

— Non! Non, je ne fais pas le compte. Tu ne comprends pas…

— Qu'est-ce qu'il y a à comprendre? Que tu n'as plus envie d'être une adulte? Pourtant, c'est ce que tu es devenue…

Eva se lève. Elle est perplexe: que doit-elle tirer de cet échange? Elle ne sait pas si elle aime que sa mère d'accueil se mêle d'aussi près de sa vie avec sa famille d'origine. Elle récupère son cellulaire et jette un dernier regard à Judith avant de s'en aller.

Judith entend la cloche tinter. Elle soupire en reprenant sa tasse de thé.

15 novembre 1997

Eva est assise en tailleur au sol. Son frère, quant à lui, a pris place sur le divan, à côté de sa mère. Ils ont les yeux rivés sur l'écran de la télévision, qui diffuse leur émission favorite. Soudain, Eva et Maxime éclatent de rire. Eva se tourne vers son frère.

— Il est vraiment niaiseux, Léo!

Il se contente de hocher la tête énergiquement.

— Hein, qu'est-ce qu'il a dit? questionne Diane.

— Ah! T'es donc ben sourde! répond Eva en levant les yeux au ciel.

— Ben non, c'est pas qu'elle a pas entendu, elle a pas compris! Coudonc, t'es-tu soûle, maman? dit Maxime en s'esclaffant.

Diane empoigne le bras de Maxime. Sous le coup de la surprise, ce dernier regarde son bras emprisonné, puis sa mère. Eva retient son souffle. Diane soutient le regard de son fils, le visage crispé de colère. Maxime dégage son bras, se lève et fonce vers les marches à toute allure. Diane se lève d'un bond pour se lancer à sa poursuite. Eva se redresse. Maxime monte les marches deux à deux; sa mère fait de même. Eva s'élance dans l'escalier à son tour. Lorsqu'elle arrive devant la porte ouverte de la chambre de son frère, Diane l'a déjà attrapé par le cou.

— Toé, mon tabarnak, tu parleras pas de même à ta mère. C'tu clair?

Maxime, affolé, fixe sa sœur. Il se met à crier, à pleurer, à supplier. Diane relâche son emprise; Maxime s'écroule, en larmes. Leur mère demeure immobile, les yeux figés dans le vide. Puis elle s'effondre à son tour sur le sol et enlace son fils. Ce dernier a un mouvement de recul; tous ses muscles se contractent, sa respiration est en suspens. D'abord méfiant, il ferme ensuite les yeux et laisse les sanglots reprendre leur cours. Eva est toujours dans l'embrasure de la porte; son corps l'a laissé tomber. Il refuse obstinément de produire le moindre mouvement. Ses oreilles cessent d'entendre, ses yeux s'embuent. Elle peut néanmoins distinguer deux masses qui se bercent, dans l'espoir de s'apaiser mutuellement.

Ou peut-être dans l'espoir que le mouvement de leurs corps efface la scène qui vient de se produire.

Après un bref tour au parc pour s'engourdir de nouveau, Eva marche vers l'appartement en caressant son ventre comme si chacun des mouvements de ses mains pouvait chasser le sentiment de culpabilité qui l'habite. Elle s'en veut d'avoir oublié cet être qui prend de l'ampleur en elle à chaque instant. De ne pas s'être nourrie adéquatement, d'avoir emboucané sa courte vie. Elle n'a pensé qu'à elle dans les derniers jours. Qu'à sa souffrance. Exactement comme sa mère.

Tu vois, maman, moi non plus, je ne serais pas une bonne mère.

En pénétrant chez ses amis, Eva sent le désir de jouer de la guitare monter en elle. *Moins nocif que le THC et le tabac.* Elle saisit l'instrument et, dès qu'elle pose les mains sur le manche, ses yeux se ferment, sa tête se balance de gauche à droite, suivant le tempo. Arnaud s'approche d'elle, reconnaissant les notes qui résonnent ; une chanson de leur adolescence.

Il revoit Eva s'époumoner au concert de No Use For a Name en entendant les premières notes de *Life Size Mirror*, plusieurs années plus tôt. *C'est ma toune !* Souriant à l'évocation de ce souvenir agréable, il joint sa voix à celle de son amie : « *Getting used to people leaving, thinking true love is deceiving. Soon she'll know how lonely it can be.* »

Malgré son grand talent de compositrice, Eva préfère nettement jouer les chansons qui ont marqué des étapes de sa vie. Sa trame sonore.

Arnaud n'a d'ailleurs jamais eu l'occasion de l'entendre jouer une de ses chansons ; seuls quelques privilégiés y ont eu droit. Peut-être uniquement Adèle et Alexis. Pourtant, il s'est toujours considéré comme un proche d'Eva. Il a connu sa famille, leurs conflits, leurs déchirements. Il l'a vu grandir, littéralement. Il l'a vu s'enfuir, revenir, attendre que la tempête passe, provoquer cette même tempête, tenter de l'esquiver, de l'affronter. Malgré tout, il semble qu'Eva ne le trouve pas digne de la voir dans toute sa splendeur.

En ouvrant la porte après une journée de travail ardue, Ariane entend la voix de son homme qui traverse l'appartement, posée sur les sons de la guitare d'Eva. Une pointe de jalousie se loge derrière son sternum. *Voyons. Il n'y a rien là, Ariane. Calme-toi.* Elle traîne le temps de se donner une contenance avant d'entrer dans le salon. Affichant un sourire, elle s'apprête à saluer son amoureux, mais celui-ci lève un doigt en l'air dans sa direction et lui fait signe d'attendre. Ariane retourne plutôt à la cuisine, d'où elle scrute les vieux amis du coin de l'œil, les mâchoires serrées.

Eva dépose sa guitare et échange avec Arnaud quelques mots qu'Ariane n'arrive pas à intercepter. Ils se dirigent tous deux vers l'extérieur en discutant. Ariane reste postée derrière la porte close, immobile, silencieuse, tentant de capter des bribes de conversation. En vain. Il lui semble que son amoureux n'a d'yeux que pour Eva lorsqu'elle est dans la même pièce que lui. Est-ce son imagination qui lui joue des tours ou est-elle sensible au point de démasquer les sentiments d'Arnaud ? Elle balaie l'air devant son visage du revers de la main pour chasser ses doutes. Elle retourne dans la cuisine afin d'entamer la préparation du souper. Ses pensées la laissent toujours tranquille lorsqu'elle a les mains occupées.

Eva s'effondre dans son lit au petit matin. Il y avait bien longtemps qu'elle avait ri de la sorte avec Arnaud.

Après avoir grignoté son souper du bout des lèvres, Ariane, elle, s'est contentée de s'enfermer dans sa chambre, prétextant une grande fatigue. Les deux amis d'enfance en ont donc profité pour sortir l'artillerie lourde : les albums photo de leur adolescence. Ils se sont raconté des souvenirs en abondance tout en se répandant en éclats de rire. Ils se sont regardés, détaillés, moqués d'eux-mêmes. Ils se sont remémoré des événements qui semblaient appartenir à une autre époque, à une autre vie. Eva s'est observée, armée de sa guitare, assise sur le plancher dans un coin de l'école. Durant cette période, elle était toujours accompagnée de son instrument, à croire qu'il faisait partie d'elle. Il lui permettait de s'emplir les oreilles d'autre chose que de l'absence des cris de son père. Comblée de souvenirs heureux, Eva s'est levée et a regardé l'heure ; elle a alors annoncé à Arnaud que son lit l'attendait.

Une fois dans sa chambre, elle s'est dévêtue à la hâte, a lancé son chandail sur la commode et a entendu un objet se fracasser dans un éclat de verre. Accroupie, elle a soulevé son chandail et constaté qu'une des photos encadrées était tombée. En secouant le vêtement, elle a vu que la photo qui gisait sous la vitre brisée était celle d'Ariane et Arnaud enlacés devant le rocher Percé, posant fièrement en manteaux agencés. *Il me semblait l'avoir rangée dans le tiroir du haut, celle-là…*

30 juin 1998

En entrant dans la pièce, Eva est assaillie par le visage de son père, prisonnier de quatre contours de bois travaillé. Il sourit, fixant l'objectif. La photo doit avoir été prise lors d'un souper de Noël, moment de trêve générale où chacun devait sortir son sourire, l'accrocher sur son visage et ravaler ses rancœurs, du moins jusqu'au lendemain. Ce portrait donne l'impression que Robert était un homme souriant, heureux, alors qu'il était tellement malheureux qu'il s'est enlevé la vie, qu'il s'est donné la mort en la faisant porter à chacune des personnes survivantes.

Eva n'a jamais supporté les au revoir ; voilà qu'elle est confrontée à des adieux.

C'est la quatrième fois qu'elle met les pieds dans cette église ; elle y a reçu son baptême, sa première communion et sa confirmation. C'est sa tante Eugénie, la sœur de son père, qui avait fait office de marraine lors de son dernier passage à l'église. La marraine que ses parents avaient d'abord choisie pour elle n'avait pas été à la hauteur. C'était une femme ivre, envoûtée par des drogues légales, encapsulées, vendues à la pharmacie du coin moyennant une somme non négligeable, hypnotisée par des machines projetant des images colorées et crachant ici et là des jetons addictifs : Marie-Louise, la sœur aînée de Diane.

Eugénie, elle, était aussi orpheline que Robert, aussi entêtée, assidue, travaillante, rationnelle. Ils avaient enterré leur père avant même d'avoir franchi le cap de leurs dix ans. Le père d'Eva aura attendu que ses enfants aient presque quinze ans... Son grand-père – si elle peut l'appeler ainsi – est mort dans un accident de voiture. Ne dit-on pas que plusieurs accidents de voiture camouflent maladroitement un suicide ? Tout comme son père, Robert a décidé de sa mort à défaut d'avoir décidé de sa vie.

Eva balaie la pièce du regard, et constate que son frère et sa mère sont postés au fond de la salle, juste à côté de l'urne. Son père a toujours dit qu'il voulait être réduit en cendres avant que les vers de terre ne le réduisent en excréments. Maxime flatte le dos de Diane en fixant tristement le sol : sa mère pleure son mari, le père de ses enfants. Elle pleure l'échec de leur mariage, de leur vie et, maintenant, la mort, sans doute. Elle pleure ses enfants qui sont vivants, de qui elle devra s'occuper jusqu'à la fin de ses jours.

Sentant une main sur son épaule, Eva se retourne : Richard, le père d'Adèle, la regarde tendrement et l'invite à se lover dans ses bras. Elle enfouit sa tête dans son cou ; l'effluve de son eau de Cologne s'insinue dans ses narines, sa chaîne en or lui rafraîchit la joue. En défaisant son étreinte, elle voit Adèle aux côtés de sa mère. Non ; plutôt Judith qui la garde près d'elle, aimante, chaleureuse. Adèle s'approche d'Eva et la prend dans ses bras. Eva laisse s'échapper quelques respirations plus profondes ; son corps émet de petites saccades à peine retenues qui laissent deviner ses sanglots. Adèle resserre son étreinte sur son amie de toujours, qui clôt fermement ses paupières jusqu'à voir des points colorés qui valsent et font fuir ses larmes. Lorsqu'elle rouvre les yeux, Eva aperçoit Alexis, entouré de ses parents. Adèle relâche son emprise. Eva reste immobile, incapable de remuer ne serait-ce que son petit orteil. Son ami s'approche d'elle, muet. Ils demeurent ainsi à se fixer de longues secondes, sans rien dire. Le silence les enveloppe, les rapproche en les éloignant du boucan funéraire. Ses parents les ramènent à la vie. À la mort.

Eugénie attend patiemment qu'Eva soit seule ; Alexis et ses parents vont faire un tour du côté de l'urne afin de dire un au revoir ultime à un homme qu'ils ont très peu connu, pourtant. Ils ne l'auront en fait côtoyé que par les réactions de sa fille, par ce que leur rapportait leur fils, par le reflet du regard d'Eva.

La marraine qu'Eva s'est choisie lui lance une œillade emplie de sollicitude, de solitude, aussi. Elle la prend furtivement dans ses bras en lui murmurant un « désolée ». Ce « désolée » est le plus sincère qu'Eva ait entendu. Elle déteste que les gens présents aujourd'hui tentent de la rassurer, de trouver les bons mots. Les mots ne se décident pas. Ils s'imposent.

Elle sait Eugénie maladroite avec les mots, avec les morts et surtout avec les survivants. Elle sait aussi que chacune de ses paroles est pesée, lourde de sens. Eugénie lui presse la main avant d'aller s'installer aux côtés de son frère cadet réduit en poussière.

Marie-Louise profite de la disponibilité de sa filleule pour s'en approcher. Son parfum se fraie un chemin jusqu'aux cavités nasales d'Eva avant même qu'elle ait pu l'apercevoir. Cette odeur l'a toujours écœurée ; elle a du mal à comprendre qu'une femme n'ayant aucun déficit olfactif puisse volontairement désirer émettre une odeur aussi suffocante. Peut-être se sent-elle si peu vivante qu'elle a besoin de provoquer des réactions sensorielles intenses chez les autres pour avoir l'impression d'exister ?

Marie-Louise enveloppe sa filleule de son effluve et de sa corpulence. Eva aimerait que son ouïe la laisse tomber à ce moment précis ; de toute façon, son odorat est si sollicité qu'elle ne se surprendrait pas que ses autres sens lui fassent défaut. Le mari de Marie-Louise se trouve derrière elle : Alain. Ou alain, comme l'a surnommé Eva ; il ne mérite pas la majuscule. Du moins, il ne la mérite plus.

La dernière fois qu'elle l'a vu, c'était l'an passé, lors d'une de leurs fameuses soirées mondaines où les femmes exhibaient leurs nouvelles tenues Chanel, à moins que ce ne fût Dior ou Versace. Le Veuve Clicquot pétillait de toutes ses bulles dans les coupes de champagne en cristal, et un pianiste faisait courir frénétiquement ses doigts sur les touches noires et blanches du piano à queue. Les voix fusaient de toutes parts et allaient se frapper aux fenêtres infinies offrant une vue imprenable sur le lac immensément calme. Un lac plat dans lequel les femmes se miraient, comme Narcisse. Avant de sombrer dans les eaux sous le poids de leurs étoffes de luxe, elles détournaient les yeux, évitant ainsi de se voir telles qu'elles étaient : malheureuses.

Eva était assise, impatiente de s'en aller. Les invités avaient presque terminé leur mascarade ; certains étaient déjà partis. Les femmes avaient retiré leurs chaussures vertigineuses, leurs pieds les suppliant de les épargner. Les hommes avaient desserré leur nœud papillon et déboutonné le col de leur chemise. Son père avait annoncé leur départ imminent ; sa mère avait enfilé son manteau de mouton de Mongolie qu'elle faisait virevolter sous les regards admiratifs. Pendant qu'elle se lançait dans une explication à propos de la conception de cette pièce vestimentaire, Alain s'était approché d'Eva pour lui dire au revoir. Il l'avait serrée dans ses bras puis avait laissé glisser ses mains contre son dos et son haleine éthylique contre son cou. Sa respiration devenait haletante, alors qu'Eva retenait la sienne. Les mains d'Alain avaient terminé leur course sur ses fesses et, à ce moment précis, il était devenu alain.

Elle avait alors cherché ses parents des yeux ; ils la contemplaient, interdits. Le silence les emmurait, l'immobilité aussi. Eva les avait suppliés des yeux, en sentant les mains de son agresseur masser son arrière-train. Elle sentait l'érection de son oncle à travers leurs vêtements. En soupirant de manière gutturale, il avait relâché son étreinte. Puis, il avait pris les mains d'Eva dans les siennes, planté ses yeux dans les siens et souri de satisfaction avant de la laisser rejoindre ses parents.

Dans la voiture, son père fixait la route, les mains crispées sur le volant. Sa mère regardait obstinément par la fenêtre tandis que Maxime s'était assoupi aux côtés de sa sœur. Eva ne quittait pas le rétroviseur des yeux, sachant que son père finirait par y jeter un coup d'œil. Ce qu'il avait fait. Mais quand il avait croisé le regard lourd de reproches de sa fille, il s'était contenté de se taire, ramenant son attention sur la route. *Il ne faut pas crier au loup, à ce qu'on dit. Est-ce que j'ai trop crié au loup ? Est-ce en raison de mes « exagérations » que, cette fois, ils ne font rien ? Est-ce si grave que ça, ce qui vient de se passer ? Ma mère, elle, a vécu bien pire. Peut-être que c'est pour ça que ça ne lui fait rien ?* Troublée, Eva s'était emmurée dans le même mutisme que ses parents. Au moins, ainsi, ils partageaient quelque chose.

Aujourd'hui, aux funérailles de son père, voyant alain s'approcher d'elle, Eva a un mouvement de recul. Comme il allonge les bras pour l'inviter à s'y caler, elle lève la main en l'air en signe d'arrêt et le défie en serrant les dents. Sans qu'elle ait rien à ajouter, alain laisse retomber ses bras le long de son corps, impuissant. Il bifurque vers Diane et Maxime.

Tremblante, Eva s'assoit sur le banc le plus près, qu'elle ne quitte plus du reste de la cérémonie. Elle discerne à peine les mots du curé, les sanglots de sa mère et les mines désolées des invités.

Eva sent son estomac faire des cabrioles lorsqu'elle quitte le monde de ses souvenirs. Elle sort prestement du lit et court à la salle de bain, où elle répand son dernier repas dans la toilette. Comme elle se prépare à la deuxième vague, quelqu'un allume. Elle relève péniblement la tête et aperçoit Ariane, une débarbouillette humide à la main ; elle la lui tend, l'invitant à la mettre sur sa nuque. Eva pousse un grognement en guise de remerciement. Elle reprend sa position initiale. Puis elle tourne de nouveau la tête et voit Ariane, appuyée sur le cadre de porte. Se laisser aller ainsi devant une spectatrice la met mal à l'aise. Elle décide donc de la remercier, espérant qu'elle saura lire entre les lignes et quittera la pièce. Ariane reste immobile. Elle la fixe toujours, muette. Eva sent monter en elle un torrent qu'elle n'arrive plus à contenir.

— Je sais que t'es enceinte, laisse froidement tomber Ariane.

Eva n'a pas le temps d'assimiler ces paroles : son interlocutrice a déjà déserté son poste.

Elle s'essuie la bouche, prend une gorgée d'eau et dépose la débarbouillette humide sur le comptoir. *Comment le sait-elle ? Parce que je suis toujours malade. Merde.*

Elle lève les yeux et scrute son visage. Qui est cette femme qui lui retourne son regard vidé des mille et quatre feux d'artifice qui y dansent habituellement ? Des cernes marquent le dessous de ses yeux, s'étendant jusqu'à la base de son nez ; à croire qu'ils ont été dessinés par un aquarelliste en manque de couleurs lumineuses. Eva soupire en baissant la tête. Son attention se porte sur ses mains fines, puis sur son ventre. Pour la première fois, elle le fixe. Délicatement, elle soulève son chandail qu'elle replie sur ses menus seins. Elle se tourne afin de se mirer dans la glace, en quête d'une preuve tangible de l'être qui coexiste désormais avec elle. Jusqu'à maintenant, il n'y a que ses nausées pour lui assurer que son corps fabrique tout doucement une vie. La vie.

Minutieusement, elle examine son profil à la recherche de nouvelles courbes, d'un léger renflement. Elle palpe son ventre, le flatte et le garde dans le creux de sa main ; il lui semble que rien n'a changé. Rien n'annonce la présence d'un enfant en devenir. Comment s'attacher au néant ?

Eva soupire de nouveau. Pourquoi voudrait-elle s'attacher à cette chose qui grandit en elle, sachant qu'elle ne verra pas le petit au bout de neuf mois ? À moins que sa décision ne soit pas si claire, finalement ?

Hébétée par ses incertitudes, elle baisse son chandail en vitesse et quitte la salle de bain.

Arnaud dort toujours, et elle ne perçoit aucune trace d'Ariane. Elle se dirige vers sa chambre, l'esprit confus. Elle s'habille sans trop s'en rendre compte ; son corps connaît les mouvements à effectuer. Elle sort sur la pointe des pieds, quoiqu'elle se demande pourquoi elle prend tant de précautions ; il semble que rien n'échappe à Ariane.

Une fois à l'extérieur, Eva entame sa marche dans l'espoir de faire taire sa nausée. Elle inspire profondément, puis expire bruyamment. Il paraît que la respiration vient à bout de tous les maux. Elle s'exécute encore à quelques reprises. L'air n'arrive pas à balayer son mal-être. Elle voit l'abreuvoir du parc. Nouvel espoir : elle avale goulûment chacune des gorgées qu'elle prend, en vain.

Elle finit par se coucher au sol, incapable d'escalader le grillage qui entoure le terrain de baseball pour se jucher sur le cabanon adjacent. Elle a tout le loisir de contempler l'amertume qui l'habite. La peur, aussi. Cette peur qui s'invite dans chacun des interstices de son cerveau, qui lui serre le ventre, bousculant sans doute l'être humain qui est en train de s'y développer.

Depuis quelques semaines, depuis qu'elle a su pour sa grossesse, elle est pourchassée ; les souvenirs s'imposent à elle, s'incrustent tels des parasites. Ils la possèdent pour mieux la déposséder. Il lui semble revivre ces moments charnières de son enfance et de son adolescence, qui l'ont forgée, qui l'ont marquée au fer rouge. Elle arrive même à ressentir de nouveau les émotions qui l'habitaient à l'époque.

Alexis, pour la première fois depuis qu'elle le connaît, n'a pas été capable de comprendre. De la comprendre. Il a cru qu'elle voulait se débarrasser de la moitié de lui qui était en train de croître en elle. Il a tout faux. Eva a été vivement déçue qu'il ne la saisisse pas mieux que ça, qu'il ne voie pas au-delà de sa peur.

Elle soulève son abdomen pour se masser le bas du dos ; les vieilles blessures finissent invariablement par ressurgir. Son esprit torturé a rendu son dos tortueux sous le poids de l'angoisse. Elle avait été étonnée lorsque, au carrefour de l'adolescence et de l'âge adulte, elle avait appris par son médecin de famille, celle-là même qui l'avait extirpée du ventre de sa mère, que les douleurs dorsales étaient associées aux douleurs psychiques. Et à la croissance rapide. Eva avait toujours cru que celle-ci était due à son désir de devenir adulte. Comme si le fait de grandir plus vite la propulserait en accéléré dans le monde des grands, là où plus rien ne pourrait lui arriver, là où elle n'aurait plus mal en raison de la souffrance des autres.

Elle est surprise par une sensation de chaleur tranquille sur sa joue; une larme y glisse pour se loger derrière son oreille, à l'abri des regards.

Comment fera-t-elle pour être mère alors qu'elle n'a pas été enfant, que même son corps s'y refusait? Comment pourra-t-elle montrer à son fils ou à sa fille à être un enfant sans le savoir tout à fait? Elle reste ainsi de longues minutes, couchée sur la pelouse, à laisser ses larmes jaillir sans tenter de les arrêter.

16 juin 2002

Eva ignore délibérément la présence d'Alexis. Il vient la rejoindre, s'assoit à ses côtés dans l'autobus. Il s'enquiert de son état. Ses yeux bouffis lui rappellent les cris entendus en provenance de chez elle, la veille. Il n'est pas rare que les conflits qui éclatent entre elle et sa mère résonnent dans tout le quartier. Ces conflits qu'Eva désigne comme la Troisième Guerre mondiale.

Elle se hâte d'insérer les écouteurs de son lecteur CD dans ses oreilles. Alexis lui prend l'appareil des mains et appuie sur *pause*.

— Je comprends pas, Eva. Depuis un bout de temps, t'es vraiment distante avec moi…

Elle demeure silencieuse, détourne son regard vers la fenêtre sale. Alexis insiste et pose sa main sur le bras d'Eva. Une décharge électrique la parcourt et fait dresser tous les poils de son corps. Elle quitte la fenêtre des yeux pour regarder la main d'Alexis. Elle est déboussolée par sa réaction involontairement intense, et les mots la désertent. Prise de court, elle plaque ses lèvres contre celles de son ami de toujours. Les papillons qui habitent son estomac depuis si longtemps semblent s'échapper et se propager dans tous les organes de son corps. Les craintes qu'elle entretenait depuis des mois s'évaporent. Alexis resserre son étreinte, déstabilisé par le baiser d'Eva qu'il n'espérait plus.

Jamais il n'aurait osé prendre l'initiative. Non que le désir ne le rongeait pas, mais la peur de la faire fuir le transcendait. La peur d'être rejeté, de ne plus partager son quotidien avec elle l'empêchait de faire quelque tentative que ce soit. Il y avait Arnaud, aussi, qui lui avait assuré que, pour Eva, il resterait un ami à tout jamais…

Des cris fusent dans l'autobus. Ils avaient tous deux oublié où ils se trouvaient. Agacée par cet énervement enfantin, Eva lève le bras, exposant fièrement le majeur de sa main droite. Alexis pouffe de rire et reprend avec joie leur premier baiser laissé en suspens.

Eva soupire. *Alexis.* Voilà quelques jours qu'elle n'a pas eu de ses nouvelles. Qu'elle n'en a pas donné non plus. Elle sait pertinemment qu'il attend ; il la connaît. Un pas vers elle risquerait de la faire reculer de deux, de trois, voire de dix pas. Avec elle, la patience est de mise. Elle demande ce qu'elle ne sait pas donner. Ce qu'elle aimerait savoir donner. De la patience.

Même sachant cela, elle ne peut pas faire autrement que d'être inquiète. *Et s'il en avait assez ?*

Elle se relève péniblement, étourdie par le manque de sommeil, la déshydratation, la faim – à moins que ce soit par toutes ces questions sans réponses. Elle revient tranquillement à l'appartement avec la ferme intention de répondre à ses besoins. À ses besoins physiologiques, du moins.

En rentrant, elle trouve le logement vide. Son couple d'amis doit être au restaurant en train d'engloutir un petit-déjeuner contenant les cinq groupes alimentaires. Elle se sent agacée par la réaction matinale d'Ariane, qu'elle a trouvée intrusive et peu empathique. Elle généralement si douce… Peut-être ne peut-elle plus supporter sa présence chez elle ? Peut-être est-elle elle-même intrusive aux yeux d'Ariane ?

Question de perspective… Peut-être qu'il est temps pour Eva de retourner chez elle. D'affronter Alexis et sa déception. Et son propre sentiment de culpabilité : elle a eu une réaction si vive lors de leur dernière conversation. Eva a toujours été très sensible aux manifestations agressives. Trop, sans doute.

En pénétrant dans la chambre, Eva constate que la lumière de son cellulaire clignote. Elle l'agrippe avec empressement et scrute l'écran. Si c'était Alexis ?

Son frère. Ses muscles se relâchent. Après avoir survolé le contenu du message et répondu sans conviction par l'affirmative à son invitation à dîner, Eva balance l'appareil sur la commode et s'engouffre dans la douche, déçue.

Elle laisse l'eau couler sur la peau de ses épaules, sillonner son dos tendu et trouver refuge entre ses fesses. Il lui semble qu'elle a peu fréquenté la salle de bain dernièrement, sauf pour se vider les entrailles.

La chaleur l'étreint. Elle en a besoin. En temps normal, elle retrouve cette sensation dans ses discussions avec Adèle, dans la présence d'Alexis, dans le regard de Judith, aussi… Elle réalise qu'elle a été impulsive lors de leur dernier échange. C'est qu'elle déteste que le présent qu'elle crée interfère avec le passé qui lui a été imposé. Elle devient si vulnérable lorsqu'il s'agit de sa famille. Elle a honte de cette partie d'elle-même ; elle s'en veut d'abriter cette rage. Comme elle envie la légèreté habituelle d'Ariane…

Autrefois, les adultes qui l'entouraient n'ont su que faire de sa fragilité, sinon la retourner contre elle, tôt ou tard. Elle sait pourtant qu'avec Judith, c'est différent. Jamais Judith ne ferait une chose pareille. Pourquoi a-t-elle douté de sa vieille amie l'autre jour ? Le sentiment de culpabilité enveloppe Eva avec la serviette qu'elle noue sur sa poitrine.

Maxime est déjà attablé lorsque sa sœur cadette franchit le pas de la porte du restaurant. Il regarde par la fenêtre, l'air préoccupé, comme toujours. Étonnant qu'il n'ait pas de rides entre les sourcils ; des rides d'anxiété, comme les appelle Eva.

Il ne l'a pas vue arriver, si bien qu'il sursaute lorsqu'elle prend place en face de lui. Il se lève afin de lui faire la bise. Eva se laisse faire. En se rassoyant, Maxime la fixe intensément, un sourire qui se veut encourageant accroché aux lèvres. Eva s'empresse de détourner les yeux, mal à l'aise d'être la cible de tant d'attention. Attention qui ne lui semble pas totalement sincère.

Percevant son malaise, Maxime change de stratégie et la questionne naïvement sur les derniers jours. Sceptique, Eva répond que tout va bien et plonge la tête dans le menu. Ce mouvement ne semble pas le décourager ; il insiste, lui demande des détails. Sa sœur relève la tête, baisse les épaules avec lassitude et, par le fait même, le menu.

— Qu'est-ce que tu veux savoir, Maxime ?

— Rien, rien, je fais juste prendre de tes nouvelles.

— Arrête, t'as ton air d'animateur de pastorale qui voit tout, qui entend tout, qui sait tout.

Maxime sourit tristement.

— Je suis pas con, Eva. C'est écrit dans ta voix des derniers jours et dans ta face que ça va pas.

— Ah! C'est ça! Tu t'es trouvé une nouvelle personne de qui t'occuper! T'en as pas assez d'une ?

Énervée, Eva lui balance qu'elle n'a pas envie qu'il prenne soin d'elle; elle en est capable depuis longtemps. Qu'il la laisse donc tranquille et qu'il arrête de croire qu'elle est malade parce qu'elle vit des moments difficiles. Ce n'est pas tout le monde qui a besoin d'assistance!

Elle n'est pas comme leur mère. Elle ne croit pas qu'ils vivent dans un monde où être «malade» sert à s'attirer l'amour des autres, leur compassion. Lui, par contre, ne semble pas avoir été épargné par cette fausse croyance. *Elle a voulu nous contaminer avec sa douleur pour se sentir moins seule au fond du gouffre. Elle a voulu déposer sa souffrance sur la fragilité de nos épaules d'enfants pour s'en décharger.* Maxime a senti le besoin d'agir en sauveur; ça arrange bien leur mère. Mais pas Eva. Surtout pas Eva.

Elle se relève brusquement et se dirige vers la salle de bain. Elle appuie ses mains contre le comptoir, respire profondément. *Mèrde.* Elle ouvre le robinet et s'asperge d'eau fraîche. Elle arrête son regard sur le reflet de son visage. *Comme il est naïf, lui pourtant si intelligent. À croire que maman est encore plus intelligente. Maman...*

Est-elle en train de se laisser attendrir par la détresse de sa mère ? Se ressaisissant, Eva secoue la tête.

Manipulatrice.

Elle retourne à la table. Maxime l'observe, tente de sonder son état d'esprit. Après tout, il a quelque chose à lui transmettre. Quelque chose d'important.

Plus tard, en déambulant dans les rues de Montréal, Eva se questionne sur le contenu de la lettre que son frère lui a remise. Qu'est-ce que sa mère peut bien lui vouloir ? Pourquoi ne l'a-t-elle pas contactée directement ? Veut-elle la faire sentir coupable de ne pas être passée lui rendre visite depuis leur dernier souper ? *T'es bonne pour me faire porter ton sentiment de culpabilité, maman. Mais pas aujourd'hui. Aujourd'hui, j'ai autre chose à régler.*

L'envie de rentrer à la maison s'impose à elle. SA maison. Elle veut retrouver Alexis, l'apaisement qu'elle ressent lorsqu'elle est avec lui. Elle souhaite plus que tout oublier leur dernière discussion. Reprendre leur vie là où ils l'ont laissée. Avant qu'elle sache. Avant qu'ils sachent.

Elle pose ses mains sur son ventre. *Tu m'en fais vivre, des émotions, toi. Et tu n'es même pas né encore…*

Après le départ de sa sœur, Maxime décide de commander de nouveau du café avant d'aller rendre visite à sa mère. Une fois de plus, il a été incapable de parler à Eva du motif de ses appels des derniers jours. En la voyant, il a su qu'elle ne serait pas d'humeur à affronter la réalité. Leur nouvelle réalité. Elle semblait tellement à fleur de peau ! Juste le fait d'évoquer leur mère l'a mise dans tous ses états. Ce n'était sans doute pas le moment idéal pour lui annoncer le diagnostic de Diane. Très bientôt, il faudra le lui dire. Les jours sont comptés…

Lorsqu'il franchit le seuil de la porte de la chambre, il voit la lueur d'espoir s'éteindre dans les yeux de sa mère. Elle aurait tant aimé que sa fille soit là. Elle aurait pu lui parler du contenu de l'enveloppe.

— La lui as-tu donnée ? demande Diane dans un soupir.

— Oui, maman, la rassure Maxime, qui l'embrasse sur le front.

— Pis, qu'est-ce qu'elle a dit ?

— Elle avait l'air contente. Elle l'a pas ouverte devant moi.

— Tu vas me le dire, si elle te donne des nouvelles, hein ?

— Promis, maman.

Quelque peu rassurée, Diane lance un faible sourire à son fils si vaillant. Heureusement qu'elle l'a.

Songeur, Maxime glisse les cheveux sales de sa mère derrière son oreille. *Il faudra que je demande aux infirmières à quelle fréquence ils la lavent.* Diane a déjà les yeux fermés, épuisée par l'espoir et par la déception qui l'a rapidement balayé. Elle respire péniblement, malgré les tubes dans ses narines qui l'alimentent en oxygène.

Il replace délicatement les oreillers sous la tête de Diane, soucieux de son confort. Lorsqu'il est certain qu'elle dort, il sort de la chambre à la recherche du médecin. Au poste des infirmières, on lui demande de patienter. Ce n'est que de longues minutes plus tard que le spécialiste se pointe le bout du nez et invite Maxime à le suivre dans son bureau.

— Combien de temps ? lui lance Maxime sans préambule.

Le Dr Martineau, comme la petite étiquette disposée sur sa chemise blanche l'indique, expire bruyamment. D'un ton qui se veut empli de sollicitude, il répond franchement.

— Son état ne s'est pas stabilisé. Au contraire, il se dégrade rapidement. Les métastases s'en sont prises aux autres organes internes, et maintenant il semble que le cancer soit généralisé…

Parcouru par un frisson, Maxime détourne le regard. Sentant sa gorge se serrer, il réitère tout de même sa demande.

— Combien de temps ?

— On parle de jours, monsieur. De semaines, tout au plus.

Maxime se contente de fixer le bout de sa chaussure.

Le Dr Martineau poursuit : « Souhaitez-vous informer d'autres personnes de sa présence ici pour qu'elles puissent lui dire un dernier au revoir ? »

Incapable de répondre, Maxime se lève en silence, ouvre la porte pour sortir. Se retournant vers le médecin, il murmure un « merci » à peine audible. Ni l'un ni l'autre ne pourrait expliquer pourquoi il exprime de la reconnaissance.

Inquiète de l'accueil qu'Alexis lui réserve, Eva fait moult détours pour semer l'ombre de son amoureux, mais en vain ; elle la pourchasse et la talonne, sans qu'Eva y puisse rien. Elle passe devant la rue où est située la boutique d'antiquités de sa vieille amie. Elle s'arrête à l'intersection, puis tourne la tête en direction du commerce. Elle laisse son mouvement en suspens lorsqu'elle aperçoit Judith sur le pas de la porte, qui indique à deux hommes portant une lourde commode où la poser. Eva reprend subitement sa marche, espérant que l'antiquaire ne l'a pas vue.

Une fois devant chez elle, Eva sonne. Elle tend l'oreille pour essayer d'entendre des bruits de pas dans le corridor. Rien. Elle sonne de nouveau. Pas de réponse. Mal à l'aise à l'idée de rentrer tout bonnement et d'attendre Alexis, elle rebrousse chemin et retourne chez ses amis.

Un peu avant d'arriver, Eva distingue une silhouette assise dans les marches menant à l'appartement. *Alexis.* Son estomac se noue et ses mains deviennent moites.

C'est juste Alexis, Eva. ALEXIS. Tu sais, le gars que tu connais depuis le début de ta vie ? La personne qui te connaît mieux que quiconque ? Qui sait avant même que toi tu saches ? L'envie de fuir se fait tout de même sentir. *La dernière fois, il n'a pas su. Et s'il ne savait plus ?*

Au gré de ses appréhensions, elle ralentit la cadence sans même s'en rendre compte. Alexis tourne la tête dans sa direction. Il reconnaît illico ses jambes interminables, le cuivre de sa peau, le trouble de ses yeux.

Il se lève et franchit la distance qui les sépare. Eva reste immobile, sur le qui-vive. Il s'arrête à quelques pas d'elle. Ses pupilles se dilatent de plaisir. *Qu'elle est belle !* Il pose les mains sur elle ; immédiatement, une décharge électrique le parcourt. Il fait un pas encore pour enfouir sa tête au creux de l'épaule d'Eva. Il hume ses cheveux ; l'effluve de sa crème, l'arôme de son parfum s'amalgament et font défaillir ses sens.

Il l'enlace de ses bras rassurants et resserre son étreinte. Eva demeure figée. *Si cette chaleur n'était que mirage ? Si elle ne faisait qu'apporter de la douceur avant le coup ultime ?*

— Tu m'as manqué, Eva. Sti que tu m'as manqué.

L'état d'alerte quitte Eva, elle s'abandonne.

Le visage calé contre le torse d'Alexis, elle prononce une question à peine audible.

— Tu t'en vas pas ?

Alexis recule d'un pas afin de mieux la contempler, laissant glisser ses mains sur ses épaules.

— Je m'en vais pas, Eva. J'ai envie d'être avec toi. J'ai toujours eu envie d'être avec toi. Et je sais que demain, j'en aurai encore envie. Comme les dix mille lendemains qu'on a vécus depuis qu'on se connaît.

Eva baisse la tête à mesure qu'elle sent les larmes monter.

— Toi, tu m'en veux pas ?

Elle relève la tête pour accrocher son regard au sien. La gorge serrée par la culpabilité, elle se contente de secouer doucement la tête de gauche à droite. *C'est pas ta faute, Alexis. C'est moi qui crie trop souvent au loup.*

＊

---

13 mars 1998

Les nuages se succèdent, tous plus duveteux les uns que les autres. Eva y navigue habilement, changeant de cap d'une simple inclinaison de bras.

Un coup de tonnerre retentit. Sans qu'elle l'ait prévu, de fines gouttelettes commencent à tomber et ont tôt fait de se transformer en averse diluvienne.

Dans son lit, Eva fait des soubresauts et gémit inconsciemment. Le bruit des armoires de la cuisine qui claquent sous la colère de Robert se substitue à celui de la tempête de son rêve avorté. Ses sens reprenant doucement du service, elle distingue le timbre aigu de la voix de sa mère, accompagné des pas lourds de son père. Elle se redresse sur les coudes et tente de discerner les paroles assassines de ses parents. Est-ce qu'ils se meurtrissent à cause d'elle ?

Elle n'entend que quelques mots voler en éclats.

— Salope !

— Manipulateur !

— Menteuse !

— Malade !

— Alcoolique !

— Mauvais père !

— Mauvaise mère !

N'en pouvant plus, Eva sort abruptement de sa chambre. Les dents serrées, les poings aussi, elle dévale l'escalier. En un éclair, elle est auprès de ses parents. Sa mère se retourne, surprise, le couteau de boucher à la main. La veine bleutée du cou de son père palpite plus timidement, tout à coup.

— Qu'est-ce que tu fais là ? T'es pas couchée ? la questionne Robert.

Eva fulmine.

— Vous avez pas le droit. Vous avez pas le droit de faire ça.

Déposant le couteau sur le comptoir, Diane esquisse un mouvement vers sa fille. Robert lui lance un regard glacial qui la cloue sur place.

— Bon, bon, bon. Aurore l'enfant martyre. Maudit que t'exagères ! Va donc te recoucher.

— T'es donc ben con ! Tu penses que j'peux me rendormir, maintenant ?

— Comment tu m'as appelé ?

— Un CON. C'est comme ça que je t'ai appelé. T'es un con.

Pris au dépourvu, il se retourne vers sa femme, qui pose une main sur son bras et lui fait signe qu'elle prend la situation en charge.

— Tsé, Eva, t'étais pas supposée voir ça. On attend toujours que vous soyez couchés, ton frère et toi. T'étais pas supposée voir ça.

— Ouin, si t'étais pas *scèneuse* de même, t'aurais rien vu, renchérit Robert.

— J'aurais rien vu si y avait rien eu à voir ! Pourquoi vous êtes pas capables de vous aimer, hein ?

Devant le silence de ses parents, elle poursuit.

— Et si c'est tellement difficile à faire, pourquoi est-ce que vous vous laissez pas ?

Sans attendre de réponse, Eva remonte rageusement les marches. Son frère est posté dans le chambranle de sa chambre, les bras croisés, la fureur dans les yeux. Elle s'arrête net devant lui et le dévisage en serrant les mâchoires. Sans rien ajouter, elle va jusqu'à sa chambre et claque la porte. Elle hurle : « Avez-vous entendu ça ? Ben nous aussi, on entend ! »

Elle s'effondre sur son lit, et les larmes jaillissent sans qu'elle y puisse rien. La tête enfouie dans son oreiller, elle crie en silence.

Desserrant leur étreinte, Eva et Alexis se contemplent.

La dernière fois qu'ils se sont vus, il y a trois jours de cela, la tendresse était loin d'être palpable entre eux. Eva venait d'annoncer sa grossesse à Alexis, qui avait littéralement sauté de joie. Mais lorsqu'il s'était approché de la mère de son futur enfant pour l'enlacer, il avait été contraint d'interrompre son mouvement.

Elle le fixait, à défaut de savoir comment fuir son regard.

— Je ne sais pas si je vais le garder, a-t-elle lâché.

Elle a dit « je ». Pourtant, il l'avait fait avec elle. « On » aurait été plus juste. « Je sais pas si on va le garder. »

Est-ce qu'il n'y avait qu'elle qui comptait ? Pouvait-elle prendre cette décision sans même le consulter ? Aurait-elle le culot de se débarrasser de leur bébé dans son dos ?

Alexis avait serré les poings avant d'en écraser un sur le mur, dans l'espoir que la puissance du coup vienne à bout de son impuissance. Ça n'avait pas fonctionné. Puis, l'effroi. Dans les yeux d'Eva.

— Tu comprends pas. Tu comprends rien, avait-elle lancé dans un souffle. Elle s'était réfugiée dans la chambre et avait fait sa valise à toute vitesse.

Il ne l'avait pas suivie. À quoi bon ? Il semblait que, désormais, elle décidait de leur futur.

Elle était sortie sans un mot pour lui. Pendant qu'il faisant les cent pas dans le salon, s'en voulant déjà de sa réaction excessive, il avait senti son cellulaire vibrer. Un texto. Arnaud. *Eva vient de débarquer chez nous avec sa valise. Ça va ?* Il s'était contenté de lui demander de prendre soin d'elle.

Toujours en caressant Eva des yeux, il l'entraîne vers le haut des marches, afin qu'ils rapatrient ses effets personnels avant de rentrer chez eux. Comme ils franchissent le pas de la porte, ils tombent sur Ariane et Arnaud qui s'apprêtent à sortir, armés de leurs sacs réutilisables.

— On s'en allait faire l'épicerie, mais je peux rester, si vous voulez, dit gaiement Arnaud à ses amis, soulagé de les voir réunis.

Ariane lui lance un regard de biais désapprobateur qu'Arnaud n'intercepte pas ; il n'échappe cependant pas à Eva et Alexis. Arnaud tend les sacs qu'il tenait à sa partenaire et l'embrasse en vitesse sur le front.

— Je t'aiderai à ranger l'épicerie quand tu reviendras, lui dit-il en invitant ses vieux amis à passer au salon.

Dans le hall d'entrée, Ariane soupire en secouant la tête. C'est seule qu'elle marche vers le supermarché.

Alexis décline l'offre d'Arnaud de prendre un verre pour célébrer leur réunion en lorgnant discrètement le ventre d'Eva. Malgré l'insistance de leur ami, ils ont tous deux envie de récupérer rapidement les affaires d'Eva et de se retrouver à la maison.

Alexis remarque le cliché sur lequel figurent Ariane et Arnaud, portant fièrement des ensembles de pluie similaires. En le pointant du doigt, il se retourne vers sa complice, l'air moqueur. Elle se contente de sourire, les yeux levés au ciel en signe d'exaspération. Pendant que l'attention d'Alexis est dirigée ailleurs, Eva saisit la lettre remise par son frère et l'enfouit au fond de sa valise. Elle ne veut pas qu'il sache. Pas tout de suite. Pas avant qu'elle sache.

Lorsqu'ils ont terminé les bagages, ils saluent Arnaud en le remerciant chaleureusement. Lui, pour avoir pris soin d'Eva, et elle, pour avoir évité de la bombarder de questions pour lesquelles elle n'avait pas de réponses. Pour lesquelles elle n'a pas encore vraiment de réponses.

Heureux des retrouvailles de ses amis et soulagé d'être exempté des courses, Arnaud les escorte jusqu'à la porte, puis se décapsule une bière et se cale dans le canapé.

Ariane revient peu après. Elle déballe brusquement le contenu des sacs, qu'elle place rageusement dans le réfrigérateur et le garde-manger. Inquiet, Arnaud entre dans la cuisine. Excédée, Ariane explose.

— Eva est enceinte ! Pis elle en veut même pas ! Toi et moi, ça fait des mois qu'on essaie, et rien. À peine enceinte, elle débarque ici sans prévenir ; tu me l'imposes, elle et ses grands yeux de biche attristée. Et toi, dès qu'elle est dans la même pièce que toi, tu deviens complètement gaga. Es-tu sûr que t'es avec la bonne fille, coudonc ?

Abasourdi par tant de révélations, Arnaud demeure muet.

— Tu vois, c'est cette face-là que tu fais quand elle est là !

Se ressaisissant, Arnaud lui explique, d'un ton qui se veut calme, qu'Eva et lui sont amis depuis toujours. Point à la ligne.

— Viens donc me faire croire que t'as jamais tripé dessus !

— Oh non, je suis démasqué ! exagère Arnaud. Ben oui, j'ai tripé dessus quand j'avais quatorze ans. Ça fait quinze ans, Ariane. J'en suis revenu ! Ça serait l'fun que tu fasses pareil.

Déstabilisée par la colère qu'elle a engendrée chez son amoureux, Ariane se ravise.

— Je suis désolée, Arnaud…

Irrité, Arnaud quitte la cuisine et se dirige vers la porte d'entrée. Juste avant de sortir, il ajoute : « Je trouve ça vraiment ordinaire que tu m'annonces comme ça que mes meilleurs amis attendent un enfant. Sérieusement, Ariane, ça te va pas bien du tout, la jalousie. »

Sans même lui laisser le temps de répondre, il ferme la porte.

Sur le chemin du retour, Alexis enlace Eva en marchant. Elle hume son effluve, ferme les yeux en inspirant, puis les rouvre en expirant et sent son corps se détendre. Elle s'apprête à parler, mais les mots en file indienne, prêts à sortir, s'arrêtent net dans sa bouche. Elle aimerait tant lui parler des derniers jours, de son angoisse, de ses inquiétudes, de son amour pour lui, de son soulagement, de tout, de rien. De rien, surtout. Juste pour faire le vide.

Mais ça supposerait qu'ils parlent de leur dispute. Et de sa grossesse. *Pas maintenant. Profite du moment.* Se mordillant la lèvre, elle se tait.

Rapidement, ils arrivent chez eux. Alexis porte la valise d'Eva dans l'escalier pour lui éviter tout effort physique non nécessaire. Il déverrouille la porte, dépose le bagage dans le couloir. Il enlace de nouveau Eva et enfouit son nez dans sa chevelure, soulagé de pouvoir inhaler son odeur encore et encore. Puis il la prend par la main et l'entraîne vers leur chambre. Eva a un mouvement de recul.

— Attends, Alexis. Laisse-moi arriver.

Compréhensif, il lui sourit.

— Prends tout ton temps, ma belle. On a toute la vie, assure-t-il en empoignant sa valise.

Alexis entreprend de laver les vêtements sales d'Eva et elle en profite pour faire le tour de leur appartement, comme si elle l'avait déserté depuis des mois. Au ralenti, elle scrute chaque pièce, chaque meuble, chaque objet qui décore leur intérieur. Elle a l'impression de n'y avoir jamais mis les pieds et de tout découvrir pour la première fois.

Elle finit par la chambre. Une chambre qui sent bon l'amour. Où l'on peut discerner de quel côté dort chacun des amoureux rien qu'en regardant les tables de chevet. La sienne est encombrée de partitions, de livres, de tubes de crème à mains aux arômes divers, de sa lampe, d'une boîte de mouchoirs. Celle d'Alexis est épurée, à son image. Une lampe. C'est tout. Simple. Efficace.

Elle s'étend sur le lit, les bras en croix. Fixant le plafond, elle se laisse réchauffer par les rayons de soleil qui zèbrent son corps. Rapidement, elle sombre dans un sommeil sans rêves.

Après avoir empli la laveuse, Alexis redresse la valise d'Eva afin de la refermer. Une enveloppe blanche s'en échappe. Il s'accroupit pour la ramasser. Il y reconnaît l'écriture confuse de Diane. En la retournant, il constate qu'elle est cachetée. Quand Eva a-t-elle reçu cette lettre ? Voulait-elle éviter de lui en parler ou n'a-t-elle simplement pas eu le temps ? Il décide finalement de laisser l'enveloppe sur la table de la cuisine.

N'entendant plus Eva, il se dirige vers la chambre. Soulagé, il la retrouve endormie sur le lit, l'air paisible. Il la détaille, contemplatif, appuyé contre le chambranle. *Maudit qu'elle est belle !* Il s'attarde sur son ventre, fier de son œuvre en construction. Soudain inquiet, il se demande si Eva veut toujours s'en débarrasser. Le faire partir par elle-même, elle qui craint tellement les départs imprévus. *Ce ne sera pas la première fois qu'elle fuira avant d'être désertée.* Il perçoit un mouvement chez Eva. Elle ouvre subitement les yeux, prise d'un haut-le-cœur. Elle se lève rapidement et court vers la salle de bain.

Alexis la rejoint. Protecteur, il s'accroupit à ses côtés, lui flatte le dos. Il se relève afin de lui servir un verre d'eau, qu'elle boit d'un trait.

— C'est pas supposé être des nausées matinales? Elles sont en retard sur leur horaire, plaisante faiblement Eva.

Alexis l'attire à lui, attendri. Il l'aide à se remettre debout et veut la ramener à la chambre.

— Non, je veux m'étendre ici, dit Eva en désignant le canapé.

Elle s'y installe doucement. Alexis s'assoit à ses côtés. *Il va falloir qu'on se parle. Qu'on prenne une décision,* pense-t-il en passant sa main dans ses cheveux éparpillés sur le coussin, pendant qu'elle glisse dans le sommeil.

Les bras de Morphée relâchent leur étreinte. La sonnerie du cellulaire d'Eva insiste. Alexis a tenté en vain de le trouver et d'y répondre, pour éviter que sa blonde se réveille. Eva se lève et repère rapidement son appareil. Adèle. Elle hésite. Alexis la questionne du regard.

— Je pense qu'elle m'appelle pour me dire qu'elle s'en va.

— Tu sais qu'elle finit toujours par revenir, Eva.

Il fixe le cellulaire retentissant.

— Elle lâchera pas le morceau tant que t'auras pas répondu, ajoute-t-il.

En soupirant, Eva finit par appuyer sur le bouton.

— Coudonc, es-tu partie de l'Antarctique pour répondre? blague Adèle.

Eva se dirige vers sa chambre et ferme la porte derrière elle. Elle discute de longues minutes avec son amie. Adèle explique que sa famille la conduira à l'aéroport le lendemain matin ; Eva veut-elle se joindre à eux ? Eva constate qu'une fois de plus, Judith a su se montrer discrète. Visiblement, elle n'a pas informé sa fille de l'attitude d'Eva lors de leur dernière discussion.

— J'ai jamais aimé les au revoir, tu le sais…

— Une fille s'essaye ! réplique Adèle.

— Appelle-moi quand tu atterris.

— Comme chaque fois. Promis.

En raccrochant, Eva est anxieuse. Elle s'inquiète invariablement lorsque son amie prend l'avion. Et si elle avait un accident ? Si la foudre s'abattait sur l'avion ? Si le moteur cessait de fonctionner ? S'il manquait de carburant entre la Colombie-Britannique et l'Australie ? En prenant de profondes inspirations pour se calmer, Eva constate que cette panique lui rappelle celle qu'elle ressentait tous les matins après la mort de son père.

Elle téléphonait religieusement à sa mère à l'heure prévue de son arrivée au travail. Si Diane ne se trouvait pas à son bureau, elle lui laissait un message la sommant de lui retourner son appel le plus vite possible. C'est seulement après lui avoir parlé qu'Eva pouvait recommencer à respirer.

Le soir, la même histoire. Quelques minutes de retard et Eva portait déjà les doigts à sa bouche pour se ronger les ongles, en état d'alerte. Contrairement à son père, sa mère finissait toujours par revenir. Cependant, Eva ne savait jamais dans quel état.

Diane, qui avait un emploi prestigieux, se composait soigneusement un rôle aussitôt le rideau matinal levé. Parfois, elle revenait déconfite de ses journées. Puis, de plus en plus souvent. Elle s'affalait sur le canapé, tétant une bouteille de vin. Au début, seule, puis accompagnée de Denis, qui l'encourageait à prendre un verre de plus et un autre encore.

Toutes ces bouteilles englouties n'étaient-elles pas plutôt destinées à la mer ? Trop ivre, Diane oubliait de les y jeter et n'envoyait son cri de détresse à personne.

26 juin 1998

Eva est dans sa chambre, les écouteurs vissés aux oreilles. Tracy Chapman fait vibrer ses cordes vocales, au gré des rêveries de l'adolescente. Un jour, elle jouera cette chanson devant un public en délire, elle en est convaincue. Son amoureux la regardera, mourant de désir et d'admiration. Son père la prendra en photo, fier comme un paon. Sa mère applaudira à tout rompre. Même son frère sera content pour elle, installé devant la scène, dans la première rangée. Adèle et sa famille viendront à tous ses spectacles, la couvriront d'éloges.

Ses rêveries tanguent et deviennent des rêves. Sa main gauche relâche progressivement son emprise sur son lecteur CD portàtif. Sans qu'elle s'en rende

compte, son père pénètre dans sa chambre tout doucement, sur la pointe des pieds.

Généralement, ce ne sont pas ses orteils qui sont
sollicités lors de ses déplacements. Plutôt ses talons.
Ces talons qui résonnent sur le sol, sur la marqueterie
du couloir, sur le tapis du salon et des chambres à coucher. Ces talons qui contiennent tout son poids, toute
sa colère. Celle de la Terre entière.

Ça ne lui ressemble pas, à Robert, de ne pas faire
de bruit. De vouloir se faire tout petit. Eva sursaute
lorsqu'elle sent un poids sur son lit. Elle ne l'avait pas
vu dans la pénombre de sa chambre ni dans l'éclat de
ses rêvasseries. Elle ne l'avait pas entendu dans sa délicatesse ni entre les paroles de la quasi-ténor. Que fait
son père dans sa chambre, immobile, à ses côtés, à
cette heure ? D'ailleurs, quelle heure peut-il bien être ?
Elle jette un œil en direction de son réveil. 9 h 11.

Eva appuie sur le bouton « pause » de son lecteur
CD, enlève ses écouteurs pour entendre les pleurs de
son père. Ses sanglots, plutôt. En se frottant les yeux,
elle se questionne.

Elle serait plus tranquille s'il criait. Du moins, ce
serait normal. Le connu, bien que désagréable, devient
facilement réconfortant.

Inquiète, elle observe son père ; son regard fuit de
partout, s'éclipsant ailleurs sans jamais revenir. Rien
de rassurant. Les mots sortent malgré eux, malgré elle.

— Pourquoi tu pleures, papa ?

Eva s'appuie sur les coudes pour mieux se redresser.
Elle s'incline vers son père, afin de distinguer ce qu'il
dit à travers les sanglots.

— Je m'en vais.

Eva ne comprend pas. Où son père veut-il aller ? Pourquoi ? Visiblement, ça lui fait de la peine, d'y aller. Alors pourquoi ne reste-t-il pas ici ? À moins que rester le fasse plus souffrir que partir…

Troublée, elle ne saisit pas comment elle a pu passer, en quelques secondes à peine, d'un engourdissement somnolent à un état d'éveil lucide.

Son père ne parle plus. Eva n'ose pas lui demander de continuer ; elle ne sait pas si elle a envie que les mots sortent de sa bouche. Tant qu'ils restent coincés dans sa gorge, ça va : ils ne sont pas encore réels.

— Je m'en vais d'ici, précise-t-il.

Avant de s'expliquer, il prend une pause. Peut-être pour rassembler ses idées, pour se donner le courage d'annoncer sa lâcheté.

— Je quitte mon travail. Je vais me trouver un 1 ½, je vais me mettre sur le B. S. ou me trouver une job au salaire minimum. Je vous donnerai pas mon numéro de téléphone pour pas que vous puissiez me retrouver. Je suis pas un bon père. Vous allez être bien avec votre mère, lance-t-il dans un même souffle.

Est-ce que c'est parce que tu ne nous aimes pas ? C'est pour ça que tu t'en vas ? Parce que tu te fous de nous ? Parce que tu te fous de la peine que tu nous fais ? Pourquoi tu vas nous abandonner définitivement, papa ? Tu ne pourras plus le faire avec chaque mot que tu prononces à notre endroit ; penses-y bien comme il le faut. À moins que ce soit pour ça que tu t'en vas, papa ? Parce que tu en as assez de nous faire souffrir ? Parce que c'était planifié depuis le début ? C'est ta finale ? Tu l'as toujours su que tu t'en irais en pleine nuit, hein ?

Les questions d'Eva sont prisonnières de ses neurones ; elles restent là, en suspens dans son cerveau.

Puis, plus rien. Le néant. Engouffrée par la noirceur.

Petite, lorsqu'elle lui disait « Bonne nuit, à demain », il la reprenait inévitablement.

— Ah ! Si Dieu le veut. On ne peut rien prévoir dans la vie, Eva. Peut-être que demain, je serai mort.

— Mais pourquoi tu mourrais, papa ? l'interrogeait sa fille.

— Parce que tout le monde meurt, voyons !

Chaque matin, Eva allait vérifier dans la chambre de ses parents que son père était toujours en vie. Sa mère aussi, tant qu'à y être.

Ce matin-là, Eva se réveille, se lève et jette un œil dans la chambre de ses parents. Son père n'y est pas. Elle descend à la cuisine, aperçoit sa mère, qui la salue. *Rien d'anormal.* Son père doit être parti travailler.

En rentrant de l'école, Eva est surprise : la voiture de sa mère est garée dans l'entrée. *Déjà ?* Dans la maison, elle trouve Diane assise à table de la salle à manger, la tête enfouie entre ses mains. En entendant des bruits de pas, elle lève la tête. Lorsqu'elle croise le regard de sa fille, elle fond en larmes. Encore. Encore éclaboussée par un drame familial. Son destin, sans doute.

Comment fera-t-elle pour élever ses enfants seule ?

Décidément, la nuit apporte invariablement la noirceur. Et elle prolonge sa noirceur dans la clarté du jour.

29 juin 1998

Quelque part entre les interstices de son deuil à peine entamé, Diane est soulagée. *Ce sera plus simple ainsi.* Ne pas avoir à passer à travers un divorce sanguinolent ni à débourser des milliers de dollars en frais d'avocat. Robert avait été clair à ce sujet : si elle menaçait une fois de plus de le dénoncer à des intervenants quelconques, il s'arrangerait pour prouver qu'elle est folle. Qu'elle est incapable de s'occuper de ses enfants. Qu'elle est inapte, même. Comme c'est lui qui faisait le plus gros salaire, il n'aurait pas de mal à la traîner dans la boue et à la faire flancher, à l'obliger à lui laisser la garde exclusive des enfants.

Elle n'aurait alors qu'un petit appartement, à peine assez de place pour les accueillir. Maxime et Eva auraient tôt fait d'en avoir assez et supplieraient leur père pour ne pas avoir à aller chez leur mère.

Diane ne pouvait supporter cette vision d'horreur ; ses enfants, c'était ce qui la gardait en vie, après tout. Elle n'avait personne d'autre sur qui compter. Ses pauvres frères étaient tous plus dépendants à l'alcool ou à la drogue les uns que les autres, plus misérables les uns que les autres. Sa sœur ? Toujours droguée. Et une fois le matin venu, c'est elle qui devait s'en occuper. Et elle n'en avait plus la force. Ses enfants, eux, prenaient soin d'elle. Ils l'écoutaient.

Eva faisait preuve de tant de compréhension lorsque Diane lui relatait les sévices qu'elle avait subis de la part de son père alcoolique. Il avait obligé sa fille aînée, Marie-Louise, à quitter l'école, afin qu'elle rapporte de l'argent pour payer son alcool. Elle devait aller au dépanneur après son quart de travail, décapsuler la bouteille de bière et la tendre avec le sourire à son paternel. S'il avait eu une bonne journée, il se contentait de grommeler en signe de reconnaissance, sans même un regard dans sa direction. Les moins bonnes journées, il frappait sa fille à coups de ceinture, de cordon électrique, de ce qui se trouvait à sa portée durant son accès de colère.

Un soir, il n'avait pas été accueilli par sa fille. Il avait fait le tour du modeste logis dans lequel ils venaient d'emménager – ils avaient quitté le précédent sur la pointe des pieds, en pleine nuit, car il était incapable de payer le loyer des derniers mois – en terminant par la chambre de sa fille ingrate. Elle était paresseusement affalée sur son lit, les cheveux en bataille, la bouche ouverte. Il lui avait alors crié de « se bouger le cul, d'aller lui chercher de la bière au plus criss ! ». Le frigidaire était vide, après tout. Aucune réaction.

Insulté, il avait attrapé Marie-Louise par les épaules et l'avait secouée d'avant en arrière. Rien. Affolé, il était monté sur son lit, ses chaussures à bouts d'acier encore aux pieds, et il avait frappé. De toutes ses forces. À plusieurs reprises. Sur ses jambes. Ses cuisses. Ses fesses. Son dos. Sa tête. Rien. Pas même un gémissement.

Diane était rentrée de l'école à ce moment. Postée dans le chambranle de la porte, elle avait laissé tomber son cartable d'effroi. Henri s'était interrompu, fixant sa cadette, stupéfait. Cette dernière s'était jetée sur

sa sœur et avait tenté de la faire sortir de son incons-
cience. Elle avait approché son oreille de sa bouche ;
elle sentait toujours son souffle. Elle s'était relevée
vigoureusement et avait empoigné le téléphone de la
cuisine pour composer le 911.

En attendant les ambulanciers, elle était retournée
dans la chambre de son aînée. Son père était effondré
sur le lit et sanglotait. Diane s'était avancée vers lui et
avait posé délicatement la main sur son épaule. D'un
ton calme, elle lui avait dit : « Tu refais ça une fois,
UNE seule fois, et je te tue. Je te tue, mon tabarnak. »

Eva l'avait écoutée intensément, l'avait bercée. Elle
avait essuyé ses larmes, cherchant des mots doux qui
l'apaiseraient. Elle était tellement compréhensive,
pour une petite de neuf ans. Et Maxime. Toujours
calme, souriant. Protecteur, aussi. Tout le contraire
de son père. Maintenant, ils ne seraient qu'eux trois.
Jamais plus Robert ne pourrait tenter de les séparer.
Ce qu'il était jaloux, Robert ! Mais elle lui était recon-
naissante ; il lui avait rendu la tâche plus facile en prenant l'initiative de partir définitivement.

Heureusement qu'elle avait ses enfants. Sans eux,
elle serait morte.

N'entendant plus de bruit, Alexis se rend à la chambre
pour s'assurer que tout va bien. Il retrouve Eva
sur le balcon adjacent à la pièce, guitare à la main.

Sourcils froncés, visage penché sur son instrument, elle ne le remarque pas. Il s'approche d'elle à pas de loup. Lorsqu'il n'est plus qu'à quelques centimètres d'elle, il crie en plaçant ses mains sur ses épaules. Eva hurle d'effroi, puis, soulagée de constater qu'il s'agit d'Alexis, l'insulte en riant.

— Sti que t'es con !

S'inclinant vers elle, il l'enlace.

— J'aime ça quand tu me traites de con, geint-il avait de l'embrasser sur la nuque.

Relevant la tête pour le dévorer des yeux, Eva sourit. Elle empoigne le col de son chandail et plaque ses lèvres sur les siennes. Entre deux souffles, la sonnerie du téléphone retentit. Eva suspend son mouvement.

— On s'en fout. Embrasse-moi encore, la supplie Alexis.

— À cette heure-ci, ça doit être tes parents, soupire Eva. Réponds donc…

Après une brève hésitation, Alexis s'exécute. Fidèle à son habitude, il s'allonge sur le lit pour leur parler. Il évite soigneusement de parler des derniers jours lorsqu'ils lui demandent : « Quoi de neuf ? »

Eva abandonne sa guitare sur le balcon, rentre avec enthousiasme et s'installe aux côtés de son amoureux. Comme toujours, elle n'écoute pas la conversation, du moins ce qu'elle pourrait en capter. Elle se contente de se laisser envelopper par la voix d'Alexis, par la douceur de son ton lorsqu'il parle à ses parents aimants. Elle devine leur voix, aussi. Fermant les yeux, elle se laisse emporter par cette mélodie.

Elle s'est souvent demandé comment Alexis avait fait pour ne pas leur en vouloir lorsqu'ils avaient décidé d'aller s'installer en Colombie-Britannique afin d'ouvrir leur *coffee shop*, un vieux rêve. Évidemment, ils avaient attendu qu'Alexis ait terminé l'université, qu'il ait entamé sa vie d'adulte. Mais quand même. Ne s'était-il pas senti abandonné, ne fût-ce qu'une fraction de seconde ? Il avait affirmé que non ; il était heureux pour ses parents, tout simplement. Il arrivait à n'être qu'heureux pour eux, à ne voir que les aspects positifs de leur décision : Eva et lui auraient désormais une place où loger s'ils allaient dans l'Ouest canadien !

Comme on peut se sentir entouré par des gens vivant à des milliers de kilomètres. Comme on peut se sentir abandonné par des gens qui sont pourtant si près...

La sonnerie de son cellulaire la sort de sa somnolence. Elle étire le bras pour voir qui l'appelle. *Arnaud.*

— Tu t'ennuies déjà de moi ? blague-t-elle en répondant.

Arnaud rit jaune, en repensant à sa discussion avec Ariane. Mal à l'aise, il lui relate leur conflit. Eva comprend soudain l'attitude de son hôtesse à son égard. Si elle savait à quel point Arnaud est fou d'elle, elle cesserait de s'en faire ! Elle tentera de lui en parler, peut-être. Non qu'elle apprécie particulièrement Ariane et la façon dont elle la fait se sentir... Mais elle tient tellement à son ami, à son bonheur, aussi.

Il la félicite ensuite pour sa grossesse. Eva lance un regard de biais à Alexis, qui ne semble pas avoir entendu les paroles de leur ami. Elle se contente de le remercier brièvement et passe à un autre sujet.

Arnaud en profite pour les inviter à une soirée organisée par un de ses collègues du boulot. Eva mime les mots avec ses lèvres pour ne pas interrompre son amoureux, toujours au téléphone avec ses parents. Il lui fait un signe de tête affirmatif. Eva prend les coordonnées en note avant de raccrocher.

Lorsqu'ils arrivent à la fête, Eva constate sans grande surprise qu'elle n'a pas le cœur à faire mine de s'intéresser aux conversations de purs inconnus. Elle refuse un verre de vin, ne voulant courir aucun risque tant que sa décision n'est pas prise. Depuis ses retrouvailles avec Alexis, ce n'est plus aussi clair. Elle ne lui en a pas parlé pour qu'il ne s'emballe pas.

Elle sent soudain une main se poser sur son épaule. Arnaud. Scrutant les alentours, elle constate qu'Ariane n'y est pas. Comme elle l'interroge du regard, le jeune homme hausse les épaules en soupirant.

Eva l'entraîne dans un endroit plus tranquille.

— On s'est pas reparlé… lâche Arnaud.

— C'est rare que ça arrive, que vous vous chicaniez, non ? demande Eva.

Il acquiesce.

— C'est correct. Ton Ariane, elle se fâche jamais. Elle garde tout en dedans. Il fallait bien que ça finisse par sortir. Tu devrais être content qu'elle s'ouvre à toi.

La gorge nouée, il est forcé d'admettre que son amie a raison. Le calme habituel de sa blonde ne l'a pas habitué à tant de remous, à tant d'émotions. Voilà sans doute pourquoi il est si bouleversé. Ce n'est pas une habitude qu'il a envie de les voir prendre, tous les deux.

— Va t'amuser, Arnaud. T'as le droit d'avoir du fun même si c'est tendu chez toi. Relaxe, tu vas juste être plus disposé à lui parler après, assure Eva.

Suivant ses conseils, il rejoint les fêtards. Elle reste sur place, se contentant de faire un signe de loin à Alexis afin de l'aviser qu'elle sera dans la cour. En descendant les marches vers le gazon, elle perd l'équilibre. *Merde*. Elle tente de se redresser, puis sent la sangle de sa sandale céder sous la pression. *Merde !* Elle prend une pause dans l'escalier et retire ses sandales. Ravie de fouler l'herbe pieds nus, tout compte fait, elle marche vers le fond de la cour, à l'abri des regards et du brouhaha qui émane de la maison. Elle prend place dans une balançoire et extirpe délicatement de son sac à main la lettre qu'elle y a glissée avant de partir. L'esprit embrumé par les émotions, elle l'avait complètement oubliée.

Elle examine l'enveloppe, la retourne dans tous les sens. Nerveuse, elle hésite à la décacheter. Que peut-elle bien contenir ? Une lettre d'insultes ? L'aveu de son adoption ?

Eva a cru, enfant, qu'elle était adoptée. Sa mère lui avait assuré le contraire ; elle lui avait même montré des photos de sa grossesse avec la date du cliché inscrite au verso comme preuve. Malgré tout, Eva était sceptique. Ce n'est que plus tard que cette crainte s'était muée en un souhait inavoué. Au fil des ans, elle avait été obligée d'admettre qu'elle ressemblait et à son père et à sa mère. Pas de chance.

Rongée par la curiosité, Eva finit par ouvrir l'enveloppe. Une photo. Sa mère. Elle. Se tenant par le cou, sourire aux lèvres. Le cliché est un peu flou ; elles avaient probablement le fou rire en tentant d'appuyer elles-mêmes sur le déclencheur pour s'immortaliser ainsi. Au verso, en bas à gauche, une date en noir. *7 mai 1997*. Au centre, à l'encre bleue, trois mots. *Je t'aime*.

Des larmes s'échappent des yeux d'Eva.

À ce moment précis, Alexis sort de la maison, une bière à la main. Il scrute la cour, tentant de distinguer Eva dans la pénombre. Il remarque une silhouette sur la balançoire au fond et se dirige vers elle, souriant.

À quelques mètres d'elle, il l'interpelle.

— Hey, ma petite sauvageonne. Si on allait se promener ?

S'essuyant le nez et les yeux du revers de la main, Eva pointe du doigt sa sandale brisée. Se doutant bien que là n'est pas la source de sa tristesse, Alexis retire ses chaussures et tend ensuite la main vers elle.

— Viens, on s'en va se promener.

Elle relève la tête et attrape sa main. De l'autre, elle lui donne la photo, sans rien ajouter. Il regarde avec tendresse l'image, puis son amoureuse au cœur perpétuellement brisé et glisse la photo dans la poche arrière de son jean. Il insiste en tirant sur sa main. Eva le suit, confiante : il saura la guider.

8 juillet 2004

Alexis est assis en face d'Eva sur la banquette colorée d'un restaurant mexicain du Plateau. Il n'arrive pas à croire que c'est bien elle qui le regarde. Elle a conservé au fond du regard cette mélancolie qui flirte avec sa vitalité. Eva est vivante. Même morte, elle serait vivante.

Pendant plusieurs mois, il n'avait pas eu de ses nouvelles ; évanouie dans la nature. Sur la Rive-Nord, plutôt : Diane, qui avait emménagé avec Denis, y avait emmené du même coup ses deux enfants, plus si enfants, au fond. Mais quand elle avait surpris Denis en train d'épier Eva par la fente d'un store mal fermé de la salle de bain, elle était repartie aussitôt. Alexis se demandait ce qui avait le plus contrarié Diane : le voyeurisme de son conjoint ou la beauté de sa fille. Durant cette courte période, qui lui avait paru interminable, Eva avait cessé de donner signe de vie. Comme si elle avait voulu faire une coupure avec sa vie d'avant. Comme si elle voulait oublier ce qu'elle avait eu, pour ne pas le regretter. Et maintenant, elle était de retour.

Eva et Alexis mangent peu, ce soir, occupés qu'ils sont à se détailler, à se dévorer des yeux. À rire. À garder le silence. Ce silence enveloppant, réconfortant. Il a déjà lu quelque part qu'on pouvait se sentir *chez soi* n'importe où et que le sens même de ce terme se rapportait davantage à une personne qu'à un lieu physique. Eva est son chez-soi. Elle l'a toujours été.

Le silence n'étant possible qu'en présence de bruit, ils parlent beaucoup. De tout et de rien. Après avoir payé, il l'invite à le suivre. La soirée s'est refroidie pendant que leurs corps s'échauffaient. Et leurs regards.

Ils passent par l'appartement d'Alexis, où il récupère une guitare et une vieille veste. Celle-là même portée par Eva à maintes reprises des années plus tôt. Tous les prétextes étaient bons ; elle ne savait pas qu'il allait faire si froid, son chandail n'était pas assez chaud ou encore il était dans la sécheuse lorsqu'elle avait quitté la maison.

En la saisissant, Eva réprime mal un sourire. *Sa* veste. Une fois de plus, elle l'enfile avant de suivre Alexis à l'extérieur.

— Depuis quand tu joues ? lance-t-elle.

— Ah, ça ? Ce n'est pas moi qui en joue. C'est mon *coloc*. Et toi.

Ils marchent en silence, le nez levé au ciel pour contempler les quelques étoiles brillant suffisamment fort pour être observées en ville. La lune, pleine, enjolive le tableau. Sans qu'elle s'en rende compte, Alexis l'a escortée jusqu'à une gare abandonnée. Un train gît sur les rails, immobile depuis longtemps déjà.

Fier, Alexis se tourne vers Eva.

— Ça va faire changement du cabanon de baseball !

Puis, il s'approche d'un des wagons, replace la ganse de la guitare et entame son ascension par la menue échelle qui va au toit. Amusée, Eva l'accompagne docilement ; ils ont l'habitude de se percher entre ciel et terre, hors de portée.

Ils s'assoient en tailleur, l'un face à l'autre. Alexis tend l'instrument à Eva. Instinctivement, les doigts de la jeune femme se mettent à jouer. Ils connaissent les notes. Une chanson de Green Day. Leur chanson de Green Day. Il joint sa voix à la sienne, aux notes qui résonnent partout et nulle part à la fois. Il leur semble que rien n'a changé.

À la fin de la chanson, Alexis pose son regard sur elle.

— T'es là, murmure-t-il.

— T'es là, répond Eva.

— Magie de la pleine lune ? questionne Alexis, amusé.

— Magie d'un vieux pervers ! réplique-t-elle dans un éclat de rire.

Lorsqu'ils redescendent, le pied d'Eva se coince dans l'échelle. En tirant pour lui rendre sa liberté, elle se blesse.

— Merde ! crie-t-elle.

— Qu'est-ce qui se passe ?

— Je me suis fait mal. Je vais devoir enlever ma sandale.

Arrivée en bas, Eva retire la sandale endommagée, puis l'autre. Alexis l'imite en riant. Ils marchent pieds nus dans la rue jusqu'à l'appartement d'Alexis, où ils se nettoient les pieds. La nuit s'est emparée de la ville avant même que la fatigue ne les envahisse. Alexis emmène Eva à sa chambre et allume sa radio afin de lui faire écouter un CD. Leur CD. Eva se couche sur le lit d'Alexis et ferme les yeux pour mieux savourer chacune des notes. Il l'imite, puis prend sa main. Elle tourne la tête dans sa direction et le fixe intensément.

— J'ai encore l'impression que tu arrives à me lire, Eva. Ça me donne le vertige.

Eva se détourne et rit.

— Non, regarde-moi, la supplie Alexis, lui posant la main sur la joue.

Eva rouvre ses yeux, qui se sont emplis de larmes. Il approche son visage du sien et l'embrasse doucement. Elle recule la tête afin de mieux le contempler.

— Tu t'es pas tanné de m'attendre ?

— Ç'a toujours été toi, Eva.

Eva s'empare de sa bouche avec fougue. Leurs corps se retrouvent, leur duvet se hérisse en reconnaissant la caresse de l'autre. Ils se déshabillent avec empressement ; le contact de leur peau les replonge quelques années plus tôt, lorsqu'ils goûtaient tous deux pour la première fois à la chair de l'autre.

Plus tard, ils s'installent au salon, le corps nu et humide. Alexis s'assoit sur le fauteuil en attirant Eva vers lui. Il tend le bras et attrape son paquet de cigarettes. Il en sort une puis l'allume. Elle cale sa tête contre son épaule, lui prend la cigarette des mains.

— Maudite rapace, souffle-t-il en souriant.

Ils sont rentrés à pied, après une très brève apparition à la fête organisée par l'ami d'Arnaud. Ils se sont rappelé leurs retrouvailles d'il y a quelques années, ils ont ri, ils se sont enlacés puis embrassés sur le chemin du retour.

Avant de se mettre au lit, ils se sont douchés, d'abord pour se laver les pieds, puis pour pouvoir créer d'autres souvenirs de chair. Comblés par le plaisir, ils se sont installés sur la terrasse, Eva avec sa guitare. La soirée s'est égrenée ainsi, entre les notes mélodieuses de son instrument.

Sous les draps, Eva n'arrive pas à trouver le sommeil. Alexis l'a dérobé, ne lui en laissant pas même une goutte. Pour éviter de le réveiller en tournant sans cesse dans le lit, elle se relève, résignée. Elle s'assoit sur le canapé, une tisane à la main. Généralement, c'est en compagnie de Judith qu'elle sirote sa boisson chaude. Comme elle aurait besoin de son amie pour l'écouter, pour la guider ! En déposant sa tasse, elle remonte sa camisole sur son ventre intact. Elle y passe ses doigts, à l'affût d'un quelconque signe de vie, en vain. *Et pourtant…*

La crainte d'être une mauvaise mère l'assaille, puis celle de regretter un geste irréversible prend la relève. Elle tient littéralement le destin d'un être humain entre ses mains. De trois êtres humains, en fait. Elle sait que sa vie ne sera plus jamais comme avant. Ni celle d'Alexis. Est-ce ce qu'elle veut ?

Ce pouvoir absolu la trouble ; si elle ne sait déjà pas qu'en faire, comment pourrait-elle supporter d'avoir autant d'influence sur la vie de son enfant ? Et puis, a-t-elle le droit de lui léguer pareil héritage, pareil arbre généalogique ?

Torturée, Eva se lève de nouveau, en quête d'un calepin et d'un stylo. Si elle ne peut être émotive, alors elle sera rationnelle. Jusqu'au bout. Dans la colonne des « pour », elle note :

J'aime Alexis.

Il sera un bon père.

J'ai peur de me faire avorter.

J'ai peur de le regretter si je me fais avorter.

Dans la colonne des « contre » :

J'ai peur d'être une mauvaise mère.

Dette générationnelle.

Constatant qu'elle a plus de « pour » que de « contre », Eva est perplexe. *Peut-être le poids des deux « contre » équivaut-il à celui des « pour », peut-être même le dépasse-t-il ?*

Toujours aussi peu éclairée sur la décision à prendre, Eva soupire en reposant son carnet et son crayon sur la table basse du salon. Quelque part entre deux mouvements des aiguilles de l'horloge, elle finit par s'endormir.

Arnaud a décidé de marcher pour rentrer. Il est 2 heures du matin lorsqu'il franchit le pas de la porte. Il remarque de la lumière au salon. Ariane s'y trouve, une tisane à la main.

— T'es pas encore couchée ? lui souffle-t-il doucement.

— J'arrive pas à dormir quand t'es pas là, murmure-t-elle.

Il l'enlace tendrement, l'embrassant sur la nuque.

— Je suis désolée, Arnaud…

Il l'étreint de plus belle en guise de réponse.

En se reculant, il contemple sa douce.

— T'as le droit d'être en colère toi aussi, des fois…

Ariane sourit tristement.

— Je veux juste être une bonne personne…

— Et tu crois que les bonnes personnes sont jamais en colère ? Regarde-moi, blague Arnaud en bombant exagérément le torse.

Elle sourit sincèrement, cette fois.

— C'est juste que je veux m'assurer d'être une bonne mère, tu comprends ?

Elle saisit la main d'Arnaud, qu'elle dépose sur son ventre.

— Je suis enceinte, Arnaud. On va être parents, arrive-t-elle à prononcer, avant qu'un torrent de larmes de joie l'assaille. Tu vas être papa. Après que je t'ai annoncé pour Eva et Alexis, j'ai remarqué que mes règles étaient en retard. J'ai fait le test : positif !

— Je vais être papa, répète-t-il, abasourdi, en la prenant dans ses bras pour la faire valser. Je vais être papa !

Le lendemain matin, Eva se fait réveiller par Alexis qui va à la salle de bain. Elle le raccompagne à la chambre, où ils se prélassent langoureusement avant de se lever. Pendant qu'Eva prépare le déjeuner, Alexis remarque le calepin de son amoureuse ouvert sur la table basse. En y jetant un coup d'œil, il distingue une liste de « pour » et de « contre ». *Eva tout craché !* Amusé, il s'empare du carnet. Son sourire s'efface durant sa courte lecture.

Eva se retourne et lui annonce gaiement qu'il peut venir s'installer à table. Lorsqu'elle voit le visage d'Alexis, puis la source de ses traits durcis, elle s'immobilise. Soudain submergée par une vague de colère, elle fonce sur lui et lui arrache des mains le carnet où elle a couché le dédale de ses pensées.

— Non, mais... on se gêne surtout pas ! crache-t-elle.

— Woh ! T'as juste à pas laisser traîner ton calepin n'importe où si t'as pas envie que je le lise ! réplique Alexis, du tac au tac.

Surpris par l'intensité de la réaction d'Eva, il se lève du canapé et s'éclipse sur le balcon en prenant la peine de fermer la porte-fenêtre. Immédiatement, Eva s'approche de la porte vitrée et la barre avec fracas, tirant rageusement la langue en direction d'Alexis, qui tente d'ouvrir la porte. Eva s'en éloigne, attrapant son assiette au passage, et lui fait un doigt d'honneur.

Courroucée, elle n'arrive finalement pas à avaler une seule bouchée de son festin matinal. La nausée s'empare d'elle, l'obligeant à se précipiter à la salle de bain. Alexis l'aperçoit à travers la fenêtre. Inquiet, il cogne doucement dans la vitre. Quelques instants plus tard, Eva lui ouvre, livide. Évitant son regard, elle fait un pas en arrière pour le laisser entrer. Sentant une seconde vague nauséeuse l'envahir, elle fonce tout droit vers là d'où elle vient.

20 juin 2002

Les rayons du soleil sont toujours puissants en cette fin d'après-midi. Les mains sur le guidon, Eva lève son visage souriant vers le ciel pour en emmagasiner encore un peu. Les vingt-quatre dernières heures chez Adèle ont été géniales !

Elle atteint rapidement son chez-soi et entre par le garage pour y laisser son vélo. Le sac sur le dos, elle pénètre dans la maison et se rend à sa chambre. Elle ne croise personne. Soulagée à l'idée d'avoir quelques minutes pour elle, quelques heures, qui sait, elle dépose son sac sur son lit et étire le bras pour mettre en marche sa chaîne stéréo.

La voix de Tracy Chapman qui sort des haut-parleurs emplit la pièce d'une douce chaleur. En fredonnant, elle s'empare de sa guitare pour accompagner sa chanteuse préférée. Elle avait dû admettre qu'il s'agissait bien d'une femme quand elle l'avait vue sur la pochette de son dernier album. Elle n'avait pas laissé son étonnement paraître sur son visage, craignant que ses parents se moquent d'elle. Après tout, elle s'appelait Tracy…

En s'admirant dans le miroir, elle gratte son instrument. C'est que ça lui va drôlement bien, une guitare en bandoulière ! Lorsqu'elle finit d'étirer la dernière note de sa chanson fétiche, elle dépose sa guitare et attrape au passage son journal intime. Légère, elle s'installe sur son lit et saisit son stylo.

En chantonnant les paroles de la chanson suivante, elle feuillette les pages de son exutoire. Celles où est inscrit le prénom d'Alexis, le « a » s'entremêlant au « a » de Eva et elle s'illumine en lisant rapidement son dernier compte rendu d'une fin de semaine chez Adèle. Elle aime bien mettre sur papier les belles choses aussi.

Puis, un poème intitulé *Le Couteau*. Quelques vers intenses, touchants. Ses amies lui en ont même demandé une copie. À l'évocation de cette reconnaissance, Eva sourit fièrement pour elle-même.

Enfin, trois pages noircies de colère, de déception, de tristesse. Toutes dirigées contre son père. Comme ce défoulement lui a fait du bien ! Elle ne se rappelle plus l'événement exact qui avait précipité son besoin d'écrire ; sans doute une accumulation.

À la fin de ces trois pages, une note provenant d'une main étrangère. Pas la sienne, c'est certain.

Un commentaire.

« Regarde-toi donc dans le miroir avant de parler. On récolte ce qu'on sème. »

Les mots sont là. Bleu sur blanc.

La griffe de son père, qui lui lacère le cœur.

Violée. C'est ainsi qu'elle se sent. Un viol d'intimité, d'idées, de pensées, d'émotions. Elle seule devrait avoir accès à ce qu'elle écrit. Du moins, elle se donne le droit de choisir les personnes avec qui elle a envie de partager ce qui lui passe par la tête. Et de sélectionner l'information qu'elle veut révéler. Le moment de le faire, aussi.

Elle n'a pas de chance, avec les journaux intimes. D'ailleurs, elle n'a jamais été capable d'en finir un seul. Comme si elle attendait que son père le fasse pour elle.

Alexis n'a pas compris. Il n'a pas respecté son choix.

Alexis ne comprend pas. De moins en moins, en tout cas.

Peut-être en a-t-il assez de comprendre ?

Eva s'incline davantage vers la toilette pour y déverser de nouveau son intérieur.

Alexis apparaît derrière elle, un verre d'eau à la main. Eva s'éponge la nuque puis le visage avant d'engloutir le contenu du verre. Il l'aide à se relever et l'accompagne jusqu'au canapé où elle prend place.

— Penses-tu que je suis punie pour avoir fumé des joints ? bafouille Eva.

Alexis l'interroge du regard. Se sentant coupable, elle lui avoue avoir fumé quelques fois après leur dispute, la journée où elle a trouvé refuge chez Arnaud. Un doute traverse l'esprit d'Alexis. *Était-ce un acte manqué ? Voulait-elle s'en débarrasser à petit feu ? Faisait-elle ça pour me punir ?* Incertain de vouloir connaître la réponse, il murmure un « non, non » peu convaincant en lui caressant le dos.

— J'ai peur, Alexis, souffle Eva.

Il l'enlace.

— J'ai peur qu'on soit tout seuls. Que personne nous aide. Tes parents sont loin, les miens sont « indisponibles », Adèle est à l'autre bout du monde,

Judith n'a plus autant d'énergie qu'avant, mon frère m'énerve…

— On a Arnaud et Ariane, suggère Alexis.

— Ariane m'en veut. Et je serais mal à l'aise de leur demander de l'aide quand eux-mêmes n'arrivent pas à avoir d'enfant après tout ce temps… À moins qu'on leur donne notre bébé ? blague Eva, dans une vaine tentative de dédramatiser.

Submergé par une dose d'espoir, Alexis défait son étreinte pour la regarder.

— T'as dit « notre » bébé…

Il l'embrasse tendrement: Troublée, Eva lui rend son baiser.

27 juin 1998

Arrivé devant la maison, Robert actionne le mécanisme de la porte de garage. Précautionneusement, il gare sa voiture, ouvre la portière et gagne l'établi. Il y cherche un tuyau, celui qu'il a mis de côté quelques jours plus tôt. Il coupe le contact de son véhicule et entre dans la maison en quête d'une feuille. Il a déjà rédigé un mot pour les membres de sa famille, mais il lui semble qu'il ne colle plus aux sentiments qui l'habitent en ce moment. Il regarde dans la bouche de l'imprimante, il ne reste plus de papier. Il soupire, puis a soudain une idée. Il monte les marches quatre à quatre et entre dans la chambre de sa fille. Il ouvre le premier tiroir de sa table de chevet et tombe, sans grande surprise, sur son journal intime. Assis sur son lit, il écrit.

Diane, Maxime, Eva,

Je n'en peux plus. Je n'en peux plus de ne pas être heureux, d'avoir des regrets. J'ai réussi dans la vie, mais je n'ai visiblement pas réussi ma vie. Je sais que je vous rends malheureux, je ne sais pas faire autrement. Je n'ai jamais su aimer comme il faut.

Diane, tu seras une bonne mère pour les enfants, même si je t'ai souvent dit le contraire.

Maxime, je suis fier de toi, mon gars. Je suis fier de l'homme que tu deviens. Je suis tellement soulagé que tu ne sois pas comme moi ! Je m'excuse de ne pas avoir été capable de te le dire plus tôt.

Eva, même si personne ne te l'a dit aujourd'hui, sache que moi, je t'aime, ma p'tite pinotte.

Ne me pleurez pas, célébrez plutôt la fin de mes souffrances, la fin des vôtres.

Robert

Il déchire la page du journal de sa fille, la plie en deux et redescend à la salle à manger la déposer sur la table.

Soulagé, léger, il retourne vers le garage, empoigne le tube de caoutchouc qu'il relie à son tuyau d'échappement, s'assoit dans sa voiture et la met en marche. Pendant que le monoxyde de carbone envahit l'habitacle, il ferme les yeux pour mieux revoir Maxime et Eva, un matin d'hiver, jouant derrière la voiture qui réchauffe. S'imaginant que les volutes de gaz étaient des nuages, et eux, les géants qui y vivaient.

Non, rien de rien. Non, je ne regrette rien.

Eva se glisse dans le bain qui se remplit d'eau chaude. En fermant les yeux, elle se rappelle le son de sa voix. Sa voix lorsqu'elle criait le nom de son père longtemps après qu'il était parti. Depuis qu'elle était toute petite, elle l'interpellait lorsque le torrent du robinet se faisait entendre, pour lui demander l'heure qu'il était, ce qui jouait à la télé, si l'annonce était terminée. N'importe quoi pour être en lien avec lui, ne serait-ce que le temps de sa réponse. De son vivant, il lui répondait invariablement. Après, ça avait été autre chose. Il n'y avait plus que sa mère, qui entrait en trombe dans la salle de bain, pleine de pitié au début, puis de plus en plus exaspérée.

En soupirant, Eva tourne les robinets vers la droite, faisant taire l'eau. Elle se cale davantage dans la baignoire jusqu'à ce que le derrière de sa tête touche le fond. Ses oreilles se bouchent. Elle a toujours aimé la sensation d'être coupée du monde, de ne plus rien entendre sans que ses yeux manquent un détail.

Pendant qu'elle se détend, elle distingue le son du battement de son cœur. Son sang bat la mesure, à un rythme régulier. Pour se concentrer davantage, elle ferme les yeux. Peut-être parviendra-t-elle à percevoir le cœur de ce petit être qui se développe en elle ? À moins que les deux cœurs ne battent à l'unisson, leurs pulsations se répercutant contre les parois de la baignoire ? Elle n'en est pas certaine.

Eva se demande si, dans son ventre, il se sent comme elle en ce moment : en apesanteur. Elle aussi passerait ses nuits et ses jours à se prélasser ainsi. Elle sourit en constatant qu'elle pense à lui, se questionne à son sujet. *Tu es en train de devenir bien réel, toi…*

Son sourire se dissipe à mesure que ses craintes la reprennent d'assaut. Et s'il était porteur ? Porteur de sa grande noirceur…

12 juillet 1997

« Un, deux, trois, *ready, ready go* ! » Eva se donne un élan et se propulse vers l'avant. Elle ne peut plus reculer ; si elle le faisait, elle risquerait de s'écorcher les pieds sur le rebord du patio ou encore de s'y cogner la tête. Peu importe que l'eau soit froide et qu'elle risque d'entrer dans ses narines ; son corps est maintenant en suspens au-dessus des litres de substance aqueuse qui végètent dans la piscine hors terre. Elle poursuit sa chute, les joues gonflées par l'air emmagasiné dans sa bouche, les yeux fermés si fort qu'ils lui dessinent des rides entre les sourcils. Elle pénètre dans l'eau, perdue entre les éclaboussures qui célèbrent son atterrissage, avec le bruit d'un tonnerre de chaude nuit d'été. Ses fesses touchent presque le fond de la piscine ; elle adopte une position fœtale, comme au commencement de sa vie. Elle ouvre les yeux, pour voir les bulles qui s'échappent sous son corps en apesanteur. Elle se laisse remonter à la surface, la tête sous l'eau. Elle distingue les dernières bulles collées sur sa peau qui se libèrent doucement de l'emprise de sa chair et vont éclater à la surface. Elle laisse ses muscles se détendre ; ses bras s'allongent de chaque côté de son corps, ses orteils demeurent attirés vers le fond. Le dessus de son crâne est exposé à l'extérieur de l'eau, ses cheveux défaits formant une couronne autour de sa tête. Elle retient son souffle, dans l'attente que ses parents s'alarment, sautent à l'eau afin de la sauver. Rien.

Pourtant, il y a sept ans de cela, son père s'était inquiété en la voyant dans cette position puis en ne la voyant plus du tout, engouffrée qu'elle était par l'eau chlorée de la piscine d'Eugénie. Elle l'avait alors entendu crier son nom ; elle entendait sa voix, sourde, modifiée par l'eau dans ses oreilles. Apercevant sa fille recroquevillée au fond, il avait plongé. Diane et lui n'auraient pas dû lui permettre de nager sans ses flotteurs ; elle n'avait que quatre ans, après tout. Eva voyait la valse des jambes de son père et de ses oncles, au ralenti. Ils discutaient dans la piscine pendant qu'elle se baignait, ou plutôt, qu'elle se noyait. Elle sentait encore les bras puissants de son père la soulever pour la ramener à la surface. Tout le reste de la journée, il était demeuré auprès d'elle.

Résignée, elle sort la tête de l'eau et respire profondément, permettant à ses poumons de s'emplir à nouveau d'air. Elle hume les boulettes de steak haché qui grillent sur le barbecue, se laisse éblouir par le soleil de midi, puis se lance sur le dos et fait la planche. Elle aperçoit dans le ciel un oiseau de tôle blanche qui laisse derrière lui une trace du chemin parcouru, tel le Petit Poucet.

La porte-fenêtre de la maison s'ouvre soudain.

— Criss, Eva, t'as pas pris ta serviette. Tu penses que tu vas sécher comment avant de rentrer pour dîner, hein ?

Elle déteste que son père prononce son nom de la sorte, comme s'il y avait un « â » à la fin. *Evâ !* Elle sait que lorsqu'il l'apostrophe ainsi, il est en colère. Elle préfère nettement la façon dont les parents d'Adèle l'appellent. *Eva.* Invariablement.

Elle relève la tête, se redresse sur ses pieds et marche vers le rebord de la piscine. Elle y appuie ses coudes et répond à son père.

— Je sais pas… Je vais attendre que le soleil me sèche.

— Ben sors tout de suite si tu veux être sèche pour le dîner. On va bientôt manger, là. Pis arrête de t'appuyer sur le bord de la piscine, j'ai pas le goût que tu brises quelque chose.

Eva s'exécute en soupirant. Avant qu'elle puisse répondre quoi que ce soit, son père est déjà rentré, aussi rapidement qu'il était sorti.

En sortant du bain, Eva est habitée par des sentiments contradictoires. Elle avise Alexis qu'elle sort se promener. Voyant qu'elle ne l'invite pas, il comprend qu'elle a besoin d'être seule. Lui aussi, d'ailleurs… Il est troublé ces derniers jours ; le départ d'Eva, son évitement d'une discussion à propos de sa grossesse, ses explosions de colère… Il secoue la tête et se convainc qu'il ne s'agit que d'une période de crise. *Tout le monde doit passer par là, non ?* C'est simplement qu'avant, il a toujours eu confiance en elle. Il a toujours su lire en elle, interpréter ses silences. Depuis son retour, il lui semble qu'il n'arrive plus à le faire. Du moins, pas aussi limpidement qu'avant.

Laissant Alexis à ses pensées, Eva sort de l'appartement avec la ferme intention de réparer une relation effritée. Elle passe d'abord à la pâtisserie du coin où elle commande deux croissants frais. Son achat en main, elle poursuit sa route jusqu'à sa destination : la boutique de la mère d'Adèle.

La clochette de la porte tinte. Pensant accueillir un acheteur potentiel, l'antiquaire abandonne sa tâche d'époussetage et se dirige vers l'avant. Sa jeune protégée est là, l'air penaud, un sac en papier à la main. Attendrie, Judith s'approche d'elle, le regard avenant. En souriant doucement, elle prend le sac d'Eva et l'invite à la suivre dans l'arrière-boutique. Elle prépare une infusion pendant qu'Eva s'installe devant leur table basse.

L'antiquaire tend une tasse et une soucoupe assortie à Eva et s'assoit en face d'elle. Avant qu'Eva puisse prononcer une syllabe, Judith s'adresse à elle.

— Tu sais, Eva, je t'aime inconditionnellement. Je ne sais pas pourquoi. Mais c'est comme ça.

— Mais la dernière fois…

— On s'en fiche, de la dernière fois. Tu étais en colère. Je me suis avancée sur un terrain glissant. Tu as le droit d'avoir tes petits secrets. Et je te prends avec. Avec tes blessures, aussi… Tu n'as pas eu une enfance lisse. Et c'est parfait ainsi ; ça donne ce que tu es, avec ta fougue, ton intensité, ton désir de vivre, au-delà de celui de survivre.

Même si elle est rassurée, Eva a encore du mal à saisir pourquoi quelqu'un qui n'a pas de responsabilités à son égard l'aime inconditionnellement. Comment quelqu'un peut-il faire ce choix, alors que les personnes qui avaient l'obligation de l'aimer ont lamentablement échoué ?

L'après-midi file sans qu'Eva tente de le rattraper. Elle raconte tout ; son départ précipité de chez elle, son escale chez ses amis, sa grossesse, ses craintes, ses souvenirs incessants des derniers jours.

Comme ça, juste parce qu'elle l'aime, Judith accueille ses confidences.

Lorsque Eva part, Judith la raccompagne jusqu'à l'extérieur. Le vent est doux dans la chaleur du mois de juillet. Le soleil brille fièrement dans le ciel, repoussant de ses rayons le moindre nuage qui tenterait de lui faire ombrage. Et la démarche d'Eva est plus assurée qu'à son arrivée en début d'après-midi. Le cœur un peu moins lourd, les pieds plus solidement ancrés au sol.

En regardant Eva à son insu, Judith ne peut faire autrement que d'être émue par l'ignorance de son amie.

Si seulement elle pouvait se voir comme je la vois. Si seulement elle pouvait poser un regard plus doux sur elle-même. Peut-être qu'elle verrait ce qu'elle est devenue, grâce à là d'où elle vient. Peut-être que la colère l'abandonnerait. Peut-être qu'elle pourrait enfin vivre sa vie, la vie dans toute sa splendeur. Peut-être qu'elle verrait qu'elle est une perle. En tentant de se défendre contre des envahisseurs, elle a produit de la nacre, pour devenir une perle polie, forte et lumineuse. J'avais remarqué, quand elle était encore une enfant, les perles qu'elle portait fièrement aux oreilles. Peut-être est-ce un signe que, quelque part au fond d'elle, elle sait. Elle sait qui elle est. Ce qu'elle vaut.

3 février 1993

Pendant qu'elle est seule à la maison, Eva pénètre dans la chambre de ses parents. Elle va vers le côté de lit de sa mère, devant sa table de chevet, s'assoit en tailleur et ouvre le tiroir du bas. Ils sont tous là devant ses yeux ébahis : les coffres à bijoux de Diane, tels des coffres aux trésors.

Elle s'empare de celui de gauche : blanc terni, orné de roses rouges et de bordures dorées. Elle le dépose sur ses cuisses, alléchée à l'idée des découvertes possibles. Quand elle l'ouvre, une délicate ballerine se déploie en émettant une musique douce. La fillette la regarde tourner sur elle-même, parée de son tutu beige. Une fois la brève musique terminée, Eva plonge avec précaution sa main à l'intérieur du coffre et en extirpe une chaîne en or avec un pendentif : « Je t'aime plus qu'hier, moins que demain. » Jamais elle n'a vu ce bijou au cou de sa mère. Est-ce son père qui le lui a offert ? Un ancien amoureux, peut-être ? En l'admirant toujours, elle le dépose sur le sol à ses côtés. Elle poursuit sa fouille.

Une bague argentée surmontée d'une fleur au centre bleu ciel. Elle tente de la glisser sur ses doigts ; seul son auriculaire la laisse l'entourer. Éloignant sa main afin de contempler le résultat, elle sourit. Un jour, sa mère a eu d'encore plus petits doigts qu'elle. Elle devait porter fièrement sa bague, elle qui venait d'une famille pauvre. Les filles devaient s'extasier devant tant de beauté. Résignée, Eva retire la bague et jette son dévolu sur une paire de boucles d'oreilles arborant deux perles menues.

— Wow, souffle-t-elle.

Immédiatement, elle les fixe à ses oreilles et se penche vers le coffre pour se mirer dans la glace à l'intérieur du couvercle. Le nez à proximité de la boîte, elle détecte l'effluve de parfum imbibé dans le velours rosi couvrant l'intérieur. Elle ferme les yeux pour mieux le humer. Elle repère la source de cette odeur enivrante : une fiole d'eau de toilette sur laquelle est inscrit « J'adore ». Elle l'ouvre, en fait tomber quelques gouttes sur son index, et effleure son poignet et son cou pour s'en imprégner à son tour.

Soudain, elle entend une portière de voiture claquer. Un de ses parents revient du travail. Déjà ? À l'affût, elle tente de déterminer de qui il s'agit. Elle distingue de lourds pas gravissant les marches du perron puis le tintement de clés. Tendant l'oreille, elle cherche à reconnaître le propriétaire du trousseau. Son père ou sa mère ? Rapidement, elle sait. Son père. À la hâte, elle range la chaîne, la bague puis la fiole dans le coffre à bijoux, en oubliant de retirer les boucles d'oreilles. Elle referme avec empressement le tiroir de la table de chevet et court vers sa chambre.

Alexis a entrepris de s'occuper les mains plutôt que de s'occuper l'esprit avec les questions qui le taraudent depuis le début de la journée. Pendant qu'il passe l'aspirateur, il croit entendre un bruit. La sonnerie du téléphone, peut-être ? Il éteint, attentif au son. Le téléphone. Il court vers l'appareil et répond. En reconnaissant la voix de son beau-frère, il se rappelle soudain son appel étrange d'il y a quelques jours.

— Ça va ? lui demande Alexis.

— Non, ça va pas. Ma mère va pas bien du tout. Elle est à l'hôpital.

Maxime lui relate la chute de Diane, son transport en ambulance et son hospitalisation. Il lui explique les raisons de son silence à ce propos et termine par le pronostic du médecin.

— Il faut qu'Eva vienne la voir. Il lui reste juste quelques jours. Parle-lui, toi. Moi, elle m'écoutera pas.

Doutant de ses capacités à la convaincre, Alexis accepte tout de même d'essayer pour rassurer Maxime. Il a à peine raccroché que la porte d'entrée s'ouvre sur Eva. S'armant de courage, il l'accueille. *Merde. Elle a l'air bien. Et je vais encore lui donner une raison de ne plus l'être…*

En voyant le visage déconfit d'Alexis, Eva s'assombrit. Inquiète, elle le questionne. Les mots tombent sur sa tête telle une tonne de briques.

— Ta mère est à l'hôpital. Elle va vraiment pas bien, balbutie Alexis.

Interdite, Eva reste muette.

— Ton frère vient tout juste de m'appeler pour me l'annoncer. Je suis désolé…

Aucun son ne sort de sa bouche. Son cerveau a besoin de temps pour intégrer cette nouvelle information. Puis, ça la frappe de plein fouet.

L'enveloppe.

La photo.

« Je t'aime. »

Son frère savait.

Sortant de son mutisme, Eva questionne Alexis.

— Il le sait depuis quand ?

— Depuis quatre jours… avance-t-il avec précaution.

Bouillonnant de rage, elle serre les mâchoires et se retourne sans rien ajouter. Elle empoigne le téléphone et compose le numéro de son frère.

— Avais-tu prévu de m'inviter aux funérailles ?

— Eva…

— Criss, c'est quoi ton problème ? Pourquoi tu me l'as pas dit ?

— Quand j'ai appelé pour te le dire, tu venais de partir. Alexis m'a appris que tu étais enceinte. J'ai pensé que c'était pas le bon moment pour t'inquiéter avec l'état de santé de maman en plus…

— Depuis quand tu prends mes décisions pour moi ? Ah oui : depuis que papa est mort.

— Eva…

— Arrête de répéter mon nom. Ça m'énerve, beugle-t-elle.

— Je voulais te protéger… Mais là, maman a besoin de toi.

— Mais j'ai pas besoin d'être protégée ! Et je suis tannée de prendre soin d'elle !

— OK, OK. J'ai fait une erreur. Je suis désolé… La prochaine fois, je vais t'informer immédiatement.

— La prochaine fois ? Il y en aura pas de prochaine fois, Maxime. On n'en aura plus, de parents.

Ignorant ce commentaire, Maxime poursuit.

— Vas-tu venir la voir ? Il lui reste juste quelques jours.

— Quelques jours comme dans deux semaines ou comme dans cinquante-deux ?

— S'il avait voulu dire plusieurs semaines, le médecin aurait parlé de mois ou d'année…

Sentant sa gorge se serrer, Eva ne peut rien ajouter. Sauf un mot.

— Câlice.

En prononçant ces deux syllabes, elle entend la voix de son père gronder dans sa tête. *« Hey, arrête de sacrer. C'est pas beau. »*

Invariablement, elle lui faisait remarquer que lui aussi, il sacrait. Beaucoup.

— Hey, tabarnak, tu viendras pas me dire quoi faire, lançait son père.

— Ben pourquoi toi tu me le dis ?

— Parce que j'suis ton père, c'tu clair ?

— Ben arrête de sacrer si tu veux pas que je sacre… câlice, répliquait Eva, le défiant du regard.

— Hey, ciboire, qu'est-ce que t'as pas compris ? sifflait-il entre ses dents.

— Faites ce que je dis, pas ce que je fais, lâchait-elle en imitant Robert. Et elle ajoutait : « Sti que c'est con ! » avant de s'enfuir.

La sortant de ses souvenirs, Maxime lui donne rendez-vous le lendemain matin, à 9 heures. Il passera la chercher. Incertaine de ce qu'il vient de lui dire, Eva raccroche, abasourdie.

Alexis la rejoint sur la pointe des pieds. Il ne veut surtout pas l'effaroucher. Doucement, il lui exprime son empathie pour Maxime. Irritée, Eva lui demande comment il peut comprendre que son frère ne l'ait pas mise au courant.

— Tu sais ben qu'il voulait juste être, encore une fois, le héros de l'histoire. C'est tellement égoïste.

Avec tact, Alexis essaie de lui faire entendre à quel point son frère s'en fait pour elle, ce qui explique qu'il ait tenté de la préserver dans les derniers jours.

— Coudonc, t'es de quel bord, toi ? l'attaque-t-elle.

— Si t'as pas compris que j'étais du tien, on est vraiment dans la merde…

— Comment ça, « on » est vraiment dans la merde ? s'inquiète-t-elle.

— Ah, Eva…

— Quoi ? Tu vas partir toi aussi ? Je suis désolée de t'encombrer avec ma famille de merde et mes problèmes de merde.

— T'as peur que je parte ?

Eva garde le silence en guise de réponse.

— Ce que tu réalises pas, c'est que des fois, tu agis en maudit pour que je parte. Oui, ton père est parti sans te demander ta permission ! Et oui, ta mère est malade ! Elle l'a toujours été ! D'abord dans sa tête, pis là, dans son corps. Mais plein de gens t'aiment, Eva. Tu nous laisses juste pas tout le temps l'occasion de te le montrer. Tu fermes la porte tellement vite…

2 octobre 1999

Diane est à bout de nerfs. Elle doit plier la brassée de lavage, terminer le ménage de la salle de bain, aller chercher Eva à l'école et la conduire à son cours de guitare, et voilà que le téléphone sonne, chaque sonnerie l'irritant davantage.

C'était toujours Robert qui prenait en charge les activités des enfants. Parfois, sa fille revenait le sourire fendu jusqu'aux oreilles ; elle lui racontait qu'elle et son père s'étaient confiés, qu'ils avaient discuté. Il leur arrivait même d'allonger le trajet du retour pour s'offrir une crème glacée en chemin. Diane se contraignait à sourire. Sa fille remarquait son manque de sincérité, mais n'osait pas le relever directement. Puis, peu à peu, Eva lui était revenue avec des bilans moins positifs. Son père avait « crié après elle ». Il lui avait rappelé le montant qu'il payait pour qu'elle ait accès au meilleur prof de guitare. Il avait repéré la légère égratignure sur son instrument et l'avait menacée de le lui enlever si elle n'en prenait pas plus grand soin. Diane se faisait alors un plaisir de serrer sa fille dans ses bras pour la consoler. Elle pouvait à son tour lui raconter ce qui l'agaçait chez son mari.

Mais maintenant qu'elle doit tout gérer seule, elle en veut à Robert de s'être enlevé la vie. Elle aussi a besoin que quelqu'un s'occupe d'elle ! Rapidement, Maxime a pris les choses en main. Il s'est proposé pour assumer quelques tâches ménagères. Eva, elle, c'est autre chose. Elle erre dans la maison ou encore s'isole dans sa chambre avec sa guitare et leur casse les oreilles des heures durant. Lorsqu'elle sort – parce qu'elle sort souvent –, Diane n'arrive pas à savoir où elle se trouve ni avec qui. Il semble qu'elle soit moins avec Adèle, dernièrement. Peut-être plus avec Alexis et son ami, dont elle oublie sans cesse le nom.

Eva ne lui parle plus. Mais elle n'est pas folle ! Elle les remarque, ses yeux rougis par la marijuana, son appétit exagéré au retour de ses escapades nocturnes. Son apathie, aussi. Sa fille a juste un peu de peine ; elle s'en remettra. Ce n'était pas facile, entre elle et son père. À l'époque, Diane, elle, aurait tout donné pour que son propre père commette le même geste.

Après la énième sonnerie, Diane atteint le combiné, mettant enfin un terme au bruit persistant. L'école. Ils s'inquiètent pour Eva. Elle manque des cours. Quand elle y assiste, elle n'est pas du tout présente d'esprit. Et ils l'ont surprise à fumer un joint avec deux amis. Diane veut savoir de qui il s'agit. Alexis. Et Arnaud. La directrice de l'école la somme de venir chercher sa fille immédiatement. Et, par le fait même, lui recommande fortement d'accepter l'aide psychologique que l'école peut lui fournir.

— Jamais de la vie ! Ma fille est pas folle ! Est en deuil !

— Justement, madame…

— Non ! tranche Diane. Pas de justement. Et je peux pas venir la chercher. Qu'elle revienne en autobus.

Sans laisser le temps à la directrice de dire quoi que ce soit, elle raccroche.

Lorsque Eva finit par rentrer, de longues heures plus tard, Diane, morte d'inquiétude, l'assaille de questions : où elle était, avec qui, qu'est-ce qui lui a pris autant de temps… Sans même la regarder, Eva trotte vers le réfrigérateur qu'elle ouvre, à la recherche d'une collation.

— Vas-tu me répondre ? crache Diane.

Eva la toise de la tête aux pieds, soupirant pour toute réponse.

— T'es allée fumer avec tes amis poteux, c'est ça ?

Sa fille se contente de sortir un sac de chips, toujours silencieuse.

— J'veux pus que tu les voies, c'tu clair ?

Eva rit méchamment.

N'en pouvant plus, Diane frappe le comptoir de la cuisine de la paume de sa main.

— Là, calvaire, tu vas pas venir me faire chier. C'est moi qui t'élève, astheure, faque tu vas m'écouter. Si t'as le goût de me pousser à bout comme t'as poussé ton père à bout, dis-toi que t'es ben partie. T'es ben partie en sacrament.

Eva tourne la tête au ralenti en direction de sa mère, lui jetant un regard empli de froideur et de dédain. Sans rien ajouter, elle laisse tomber le sac de chips à ses pieds, l'enjambe et sort de la maison en claquant la porte.

Exaspérée, Diane s'effondre sur le plancher de céramique et fond en larmes. Elle se relève quelques minutes plus tard en titubant et se dirige avec un regain d'espoir vers le cellier.

Le lendemain matin, Maxime cogne à la porte à 9 heures tapantes. Eva lui ouvre sans l'inviter à entrer, tout en finissant de fixer une boucle perlée à son oreille. Elle a pensé à reprendre la paire camouflée dans un tiroir, à son départ de chez Arnaud et Ariane.

Il lui fait une bise, qu'elle lui rend distraitement.

— Bon, on y va ? s'impatiente-t-elle, dévalant les marches qui mènent à la rue.

Dans la voiture, ils parlent peu. Maxime semble se concentrer plus que nécessaire sur la route, et Eva regarde pensivement le paysage de béton défiler sous ses yeux. Elle n'a aucune idée de l'état dans lequel elle trouvera sa mère. Elle n'a aucune envie de le demander à son frère non plus. Elle ne veut pas le savoir.

À l'hôpital, ils doivent passer par l'accueil pour s'enregistrer. L'employée a devant elle le dossier de Diane, ouvert à la page de la personne à contacter en cas d'urgence. La page est jaunie.

Robert. Son écriture en pattes de mouches. Bleue sur blanc. La gorge d'Eva se serre. Bientôt, l'écriture de sa mère aussi ne sera plus que le vestige d'une existence révolue. D'une relation abîmée, qu'Eva n'aura pas eu le temps de rapiécer.

Elle n'a jamais le temps.

La dame à l'accueil leur indique le numéro de la chambre. Eva se retourne vers son frère et le fixe de son regard intense.

Elle a envie d'y aller seule.

Maxime revient sur ses pas et s'assoit dans l'une des nombreuses salles d'attente. Il fait un sourire encourageant à sa sœur.

Lorsqu'elle arrive devant la porte close de la chambre, Eva soupire. *C'est vrai, là.* Elle se passe les mains sur le visage et prend de grandes inspirations pour contrôler le rythme effréné de son cœur.

Des mois qu'elle ne l'a pas vue. Elle n'aurait pas pu prédire que leurs retrouvailles se feraient dans ce contexte. Qu'elles leur donneraient la possibilité de mieux se quitter.

Diane est assoupie au moment où Eva pousse la porte. Elle est si minuscule dans ce petit lit aux barreaux austères. Les cernes creusent le contour de ses yeux, teintant sa peau. Sa peau grise. Elle respire. Péniblement, mais encore. Sa frêle poitrine se soulève dans un râle à chaque inspiration. Eva porte la main à son ventre. Tandis que la vie pousse en elle, tentant de se frayer un chemin dans ses désirs, sa mère meurt un peu plus à chaque respiration.

S'approchant de Diane, elle la détaille. Ses cheveux sales semblent emmêlés. Ses doigts noueux sont posés docilement le long de son corps, camouflés par la légère couverture bleu hôpital.

Tu as toujours essayé de semer le mal-être, maman. À mesure que tu sombrais dans le sommeil, tu croyais que ta douleur sombrait, elle aussi. Tu oubliais l'inévitable réveil, qui te brutalisait à tout coup. Qui te donnait envie de sombrer dans d'autres choses, ailleurs. Tu as décidé de passer ta vie ivre, anesthésiée ; je choisis de vivre la mienne à jeun. Ça fait peur. Je te le concède. Ça fait mal.

La maladie lui a permis de rester ce qu'elle a toujours voulu être : une enfant de qui on prend soin. De ça, Eva est convaincue.

Une petite chose fragile et vulnérable. Son corps se perd dans les replis des couvertures trop raides, peu chaleureuses. Elles pourraient accueillir la mort avec plus de délicatesse.

Eva revoit l'écriture de son père, tordue, à l'image de son esprit.

Toi aussi, maman, tu t'es enlevé la vie. À petit feu ; à coups de bouteilles de vin englouties dans le temps de le dire, avant même qu'on sache qu'elles avaient été ouvertes. À coups de mots, par la suite. Tu as pris la relève de papa. Avais-tu peur à ce point que sa violence nous manque ?

Tu fais moins mal quand tu dors, maman.

30 novembre 2012

Lorsqu'ils arrivent, c'est Maxime qui leur ouvre la porte.

— Bonne fête, la sœur !

Il la prend dans ses bras, l'embrasse chaleureusement.

Alexis serre la main de son beau-frère et entre dans l'appartement de sa belle-mère en compagnie d'Eva. Diane vient à son tour les accueillir. Elle étreint sa fille, refusant de la laisser s'échapper d'entre ses bras.

— Bonne fête, ma pitoune, lui souffle-t-elle à l'oreille en fermant les yeux pour savourer ce moment de proximité.

Eva se détend quelque peu et prolonge ce contact physique avec sa mère, qu'elle ne voit que lorsque c'est nécessaire. Les multiples déceptions qui suivent immanquablement l'espoir ont eu raison d'elle.

Lorsque Diane rouvre les yeux, elle aperçoit son gendre qu'elle affectionne tant, désormais. Long-temps, elle a cru qu'il incitait sa fille au vice ; puis elle a constaté l'effet apaisant qu'il avait sur elle. Elle se défait de la chaleur d'Eva pour enlacer Alexis, lui tapotant affectueusement le dos. Il lui sourit, ravi de cette accolade sincère.

Ils se dirigent tous vers la cuisine, où Diane ouvre rapidement une bouteille de vin pour porter un toast à sa fille. La sachant sobre depuis quelques mois, Eva s'approche de sa mère et lui murmure qu'elle ne devrait pas boire. Sans même lui laisser le temps de terminer sa phrase, Diane secoue la tête de gauche à droite.

— Ben non, ben non. Fais-toi z'en pas. Rien qu'un verre.

Eva ouvre la bouche pour préciser ses inquiétudes, mais son élan est interrompu par sa mère qui élève la voix, invitant Maxime et Alexis à formuler un sou-hait pour l'anniversaire de sa fille. Les hommes les rejoignent et prennent chacun la coupe que Diane leur tend.

— Santé ! s'exclament-ils en chœur.

Alexis complimente Diane sur le choix du vin, ce qui lui vaut un regard noir de la part d'Eva. Maxime passe derrière sa sœur et lui suggère à voix basse de se détendre et de profiter de sa soirée. Ce qu'elle est incapable de faire. Plus les heures filent, plus Eva sur-veille la consommation de sa mère, qui n'a pas bu

« rien qu'un verre ». Un verre après l'autre, plutôt. Malgré les commentaires discrets d'Eva, elle ne s'est pas arrêtée. Eva quémande l'aide de son frère, mais ne récolte que des paroles peu réconfortantes. Alexis, lui, préfère ne pas s'en mêler et se laisse aller à l'ambiance décontractée de la fête.

Eva a l'impression d'être revenue quelques années en arrière ; l'haleine éthylique de sa mère empeste chacune de ses étreintes, ses dents violacées reflétant ses excès, tout comme ses paroles qui deviennent de plus en plus incohérentes. Ses éclats de rire tonitruants et ses pas de danse maladroits au son d'une musique inexistante viennent à bout de la patience d'Eva.

— Bon, on va y aller, nous autres, fait-elle.

Voyant l'air contrarié de sa mère, elle tente de nuancer ses propos.

— Je suis fatiguée, c'est tout. J'ai besoin de repos. C'était génial, la soirée. Vraiment. Merci pour tout.

Sans un mot, Diane dépose sèchement ses lèvres gercées tachées de vin rouge sur les joues de sa fille, puis tourne brusquement les talons. Maxime fixe sa sœur, des points d'interrogation dans les yeux. Eva soupire et fait la bise à son frère.

— Je le savais, que c'était pas une bonne idée qu'elle boive, lâche Eva.

Maxime la contemple, mal à l'aise. Ne sachant qu'ajouter, il la raccompagne jusqu'à la porte, ainsi qu'Alexis. Le couple sort et entame sa descente des marches. À peine fermée par Maxime, la porte se rouvre brusquement.

Ils se retournent tous deux prestement en entendant la voix de Diane.

— Bye, mon beau Alexis. Tu reviendras me voir, là!

Alexis remercie sa belle-mère pour la soirée, embarrassé.

Eva scrute sa mère, qui lui sourit hypocritement.

— Pis toé, ma tabarnak, décâlisse. Je veux pus jamais te revoir icitte.

Eva se fige sous le regard animal de sa mère. Rien. Plus une once d'humanité. Ne trouvant aucune réponse adéquate, elle se détourne et poursuit son chemin vers l'extérieur, suivie d'Alexis.

Ni l'un ni l'autre n'entendent Diane claquer la porte. Puis s'effondrer contre celle-ci, anéantie. *Ma fille m'aime pas. Ma fille m'aime plus…* Maxime accourt vers sa mère et l'étreint longuement.

Diane ouvre péniblement les yeux, sentant une présence à ses côtés. Eva. Sa fille est venue la voir.

Devinant un léger mouvement sur le lit de sa mère, Eva se tourne vers elle. *Elle est réveillée.* Une décharge électrique lui parcourt le corps lorsque leurs regards se croisent. Des mois. Ça fait des mois. *Maman. Tu as l'air tellement vieille. Au-delà de la vieillesse.* Au-delà de la vieillesse, il y a la mort.

Ses yeux s'emplissent de larmes. Elle enfouit sa tête dans le cou de sa mère. Cette dernière tend la main vers la chevelure soyeuse de sa fille. Sa fille. Enfin. Elle est là.

Eva se redresse et essuie son nez du revers de la main. Diane pose délicatement sa main sur la joue de sa fille, interceptant une larme.

Eva sort une photo de sa poche arrière de jeans et la regarde avant de la montrer à sa mère. Souriante, Diane la prend dans ses mains, la contemple de plus près. La photo qu'elle lui a envoyée.

— Elle est bonne, cette photo-là de nous deux, murmure Diane.

Bien qu'Eva n'ait jamais apprécié les clichés, force est de constater que celui-là est beau. Il est vrai, sincère. Vivant. Peut-être en raison du mouvement, de leurs visages à peine flous. Généralement, elle reproche aux moments croqués à la vie de ne pas être représentatifs de la réalité. Les gens s'arrêtent, prennent la pose puis regardent sur leur caméra numérique si le résultat leur plaît. Oui, on garde. Non, poubelle.

Elle a l'impression que les photos n'évoquent aucun souvenir. Elles n'ont aucune odeur, aucune saveur. Et à quel souvenir pourraient-elles la ramener ? À celui d'avoir suspendu un instant agréable pour représenter de manière exagérée, grâce à un sourire forcé, cette joie interrompue par un flash éblouissant ?

Par contre, le choix de l'envoi de sa mère a été judicieux. Un des rares portraits vraiment représentatifs d'elles deux à une époque précise de leur relation.

Diane désigne d'un mouvement de tête l'album photo déposé sur sa table de chevet. Eva le prend et le tend à sa mère.

En première page, une photo d'Eva, enlaçant Adèle, tout sourire, une chaudière pleine d'eau d'érable à la main. Judith a dû prendre la photo pendant que Richard retenait Chloé pour respecter la demande de son aînée d'être seule avec son amie sur le cliché.

— Te souviens-tu de cette soirée-là, Eva ?

Cette soirée-là. Comment Eva pourrait-elle l'oublier ? Cette soirée qui avait succédé à une journée idyllique avec la famille de son amie. Ils étaient passés la chercher en avant-midi et avaient fait près d'une heure de route pour se rendre à la cabane à sucre d'un ami de Richard. Eva s'était trop approchée d'un baril de sirop d'érable chaud ; une petite section de la manche de son manteau avait fondu. Adèle et elle avaient parcouru l'érablière, à la recherche de chaudières bien remplies. Puis, ils avaient dîné autour d'une gigantesque table de bois. En après-midi, toute la famille avait fait une promenade en calèche. Eva se rappelle encore l'odeur du cheval, de la terre humide, de la neige qui fond.

À leur retour au chalet principal, elle s'était informée de l'heure. Près de 16 heures. Déjà. Elle avait demandé à Judith d'appeler ses parents pour les aviser qu'ils seraient en retard.

— T'en fais pas, Eva. On va te ramener saine et sauve ! avait dit la mère de son amie.

Peu rassurée, elle avait insisté. Richard lui avait expliqué qu'il n'y avait pas de téléphone. Pour appeler, il aurait fallu marcher au moins vingt minutes dans les bois, afin de se rendre chez les propriétaires de l'érablière. Eva avait tenté de le convaincre de l'y accompagner. Il lui avait alors assuré qu'ils partiraient bientôt. Elle était tout de même soucieuse ; son père détestait qu'elle soit en retard. Et elle ne voulait pas que sa mère s'inquiète.

Ils avaient fini par partir vers 18 heures et avaient ramené Eva chez elle à 19 heures. Lorsque la voiture s'était garée devant la maison familiale, Robert était sorti pour accueillir sa fille. Ce n'était pas dans ses habitudes.

— On est partis plus tard, finalement ! avait lancé Judith.

Robert avait grommelé une réponse inaudible, attrapant sa fille par les épaules pour l'emmener à l'intérieur. Après avoir retiré son manteau puis ses bottes souillées, Eva s'était installée à table.

Un immense plat de fondue chinoise trônait en son centre. Le brûleur fonctionnait. Pourtant, aucune fourchette à fondue ne gisait dans le chaudron chaud. Les assiettes étaient intactes. La nappe, immaculée. Les légumes, intouchés. La chaise vide d'Eva, l'absence de nouvelles, l'inquiétude qui les rongeait n'avaient laissé aucune place aux aliments, qu'ils n'étaient pas arrivés à ingérer.

Une fois sa sœur rentrée, Maxime avait mangé péniblement sans la regarder. Il avait été le premier à attaquer le repas, suivi avec hésitation par Robert et Diane. Personne n'avait prononcé un mot de tout le souper. Ses parents l'avaient bordée plus longtemps qu'à l'habitude, ce soir-là.

Diane tourne la page de l'album photo, tirant Eva du souvenir de cette soirée. Robert. En gros plan.

Souriant. La même photo que celle des funérailles. Les mâchoires d'Eva se contractent contre son gré, faisant trembler sa lèvre inférieure et son menton.

— Ce n'était pas ta faute, Eva. Ce n'était pas ta faute. Ça faisait longtemps qu'il était malheureux. Il l'a toujours été, tente de la rassurer Diane.

Eva acquiesce, distraitement. Diane dépose l'album pour libérer ses mains et prend celles de sa fille.

— Garde ce moment-ci dans ta tête, Eva. On est en train de créer un de nos derniers souvenirs.

Eva n'émet presque aucun son durant le trajet du retour. Son frère a su respecter son silence, si éloquent.

En bas de chez elle, Eva se détache lentement et se tourne vers son frère. Pour la première fois, elle décèle dans son regard tout l'amour qu'il lui porte. Elle s'élance vers lui, l'étreignant intensément.

Il sent soudain la poitrine de sa sœur tressaillir. Il la berce au gré de ses sanglots qui balaient toute trace de colère.

Lorsqu'il entend Eva pénétrer dans leur logis, Alexis se presse vers le hall d'entrée. Il l'accueille avec une accolade, ce qui réactive le torrent. La soutenant par les épaules, il l'escorte jusqu'à la chambre et l'enlace sur le lit.

— C'est fini, arrive-t-elle à articuler.

Je suis destinée à être celle qui reste, seule, en plein cœur d'un continent vide.

Des douleurs au ventre la réveillent de sa sieste tardive imprévue. Le réveil affiche 9 h 11. Eva doute de son malaise. L'a-t-elle rêvé ? Elle ressent une chaleur humide à l'entrejambe. Puis, de nouvelles douleurs, semblables à des crampes menstruelles, lui déchirent l'abdomen. En retirant les couvertures, elle aperçoit du sang. Elle touche ; il est encore chaud. Paniquée, elle rejoint Alexis, qui l'amène illico à la salle de bain. Eva constate que le saignement ne s'interrompt pas, pas plus que les douleurs. Rapidement, Alexis compose le 911. En ligne avec la standardiste, il lui décrit les symptômes d'Eva.

— J'ai bien peur, monsieur, qu'il s'agisse d'une fausse couche.

Au même moment, il entend Eva crier. Accourant vers la salle de bain, il l'aperçoit, accroupie, la main ensanglantée.

— Il est parti, Alexis. Il est parti…

Alexis raccroche et lance le téléphone négligemment. Il se précipite vers Eva, la prend dans ses bras.

— Même lui est parti, sanglote-t-elle.

Eva n'a jamais su prendre de décision. Du moins, pas depuis l'époque où elle a dû continuellement choisir entre son père et sa mère. Choisir, c'est nécessairement faire un deuil.

Ce soir, la vie s'est chargée de décider pour elle. Contre elle.

Même toi, tu m'as désertée.

Maxime finit de remplir une boîte de livres, qu'il ira porter à l'église du quartier. Alexis s'occupe des rebuts. Ils ont vidé l'appartement de Diane, morte la semaine précédente. Eva a insisté pour que cette tâche soit effectuée le plus rapidement possible, presque immédiatement après les funérailles. Sur le point de partir, Alexis dépose le sac à ordures dans le petit hall d'entrée du logement et fait le tour des pièces vides. Il trouve Eva assise au sol, dans la chambre de sa mère. Dos à lui, elle ne s'aperçoit pas qu'il l'observe, appuyé sur le chambranle de la porte. Elle est penchée sur un coffre à bijoux blanc, terni, orné de roses et de dorures. Elle porte la main à son oreille droite, retire le papillon puis la boucle perlée et les place avec soin dans la boîte. Elle fait la même chose avec ceux de son oreille gauche. Puis, elle active le mécanisme une dernière fois. Une délicate musique se fait entendre, et une jolie ballerine au tutu beige se met à tournoyer.

Alexis s'approche d'elle et s'accroupit à ses côtés. Elle le laisse être témoin de cette douce chorégraphie avant de refermer le couvercle, de saisir le coffre et de se relever.

— Tu peux aller m'attendre dans l'auto, j'arrive, lui murmure-t-elle.

Alexis l'embrasse tendrement sur le front et s'éloigne. Les souvenirs de Diane sous le bras, Eva pénètre dans chacune des pièces, dans une ode funeste.

Arrivée au hall d'entrée, elle se retourne puis souffle un dernier au revoir. Baissant la tête, elle ferme la porte, et rejoint son frère et son amoureux.

Eva a accepté de jouer la chanson préférée de sa mère à ses funérailles : *The Promise*, de Tracy Chapman. L'assemblée entière retenait son souffle, comme si une expiration pouvait déclencher un tsunami de larmes. Tous sont venus dire un dernier au revoir à Diane et, surtout, soutenir Eva dans cette épreuve. Sa tante Eugénie y était, tout comme Judith, avec sa sagesse et son calme exemplaires. Mes parents ont momentanément quitté leur Colombie-Britannique d'adoption pour serrer Eva dans leurs bras, encore et encore. Adèle a laissé derrière elle la chaleur de l'Australie pour accompagner son amie dans le deuil. Arnaud et Ariane, loyaux, y étaient aussi.

Je sais qu'elle a aperçu son oncle alain sans majuscule, comme elle l'appelle. Mais elle n'y a pas prêté attention. Je crois que l'amour l'a aveuglée ce jour-là, ne laissant pas de place pour les indésirables dans son cœur.

C'est étrange, la mort. La Terre arrête de tourner subitement pour la personne défunte. Pour ses proches, aussi. Mais la vie, elle, n'arrête pas. Les travailleurs continuent d'être pressés le matin, de s'entasser machinalement dans le métro, d'attendre la fin de leur journée avec impatience. Les voitures roulent toujours aussi rapidement sur l'autoroute, les feux de circulation changent de couleur aux intersections, les piétons injurient les automobilistes imprudents.

Des couples mettent fin à leur histoire et en entament une autre ailleurs, ou pas. Des enfants naissent, certains en retard, d'autres prématurément. D'autres s'éteignent avant même d'avoir inspiré une première fois...

Et les gens meurent. Et d'autres partent.

Eva est partie.

Je crois qu'elle en avait assez que les autres la désertent.

C'est Adèle qui m'a écrit pour me dire qu'elles repartaient ensemble en Australie.

Quand je suis revenu du travail, elle avait déjà quitté les lieux, sans même crier gare ou au revoir. Une feuille lignée de son calepin marquée de lettres noires gisait sur la table de la cuisine.

Alexis, Alexis, Alexis,
Je pourrais écrire ton nom cent fois sans m'en lasser.
Alexis. Ton nom est une caresse pour la langue, pour les
lèvres aussi. Pour mon cœur. Surtout pour mon cœur.

Je t'emmène. Tu seras avec moi, parce que tu es partout en moi. Tu es mon passé, mon présent, mon avenir. Tu es mes souvenirs, mes craintes, mes espoirs.

Pardonne-moi.

REMERCIEMENTS

Sept ans. Sept ans que ce projet prend racine dans ma tête sans trop savoir qu'il deviendra un roman. Sans trop y croire, sans doute. Puis, il y a eu mon blogue, la passionnée Johanne Guay qui m'écrit en privé sur les réseaux sociaux (merci, Facebook !), une rencontre avec l'authentique Lison Lescarbeau, l'écriture, la réé-criture, la ré-ré-écriture… Durant ce processus, des individus qui ont su m'insuffler une (deux, trois et puis quatre) doses d'espoir et de confiance. Je pense entre autres à Geneviève Chénard-Bazinet, qui a été ma toute première lectrice, à Marie Potvin, qui m'a, grâce à son *tough love*, fait progresser, à Yannick Ollassa, ma bouquineuse boulimique préférée, à Marie-Eve Gélinas, mon éditrice adorée et jumelle de fête ! Et il y a tous ceux qui sont là, depuis le début de tout, qui m'ont vue grandir, rêver, tomber et qui m'ont aidée à me remettre sur pied. Enfin, un merci immense à la famille Paquin-Archambault ; vous êtes, sans l'ombre d'un doute, des tuteurs de résilience.